Evelyn Dutrisac

D1268096

Ma faiblesse,
c'est ma force

Jean Vanier

Ma faiblesse, c'est ma force

*Un aperçu de la vie intérieure
du général Georges P. Vanier, gouverneur général
du Canada de 1960 à 1967*

LES ÉDITIONS BELLARMIN

Données de catalogage avant publication (Canada)

Vanier, Jean, 1928-
    Ma faiblesse, c'est ma force: un aperçu de la vie intérieure du général Georges Vanier

Éd. précédente: 1970.

Comprend des références bibliographiques: p.

ISBN 2-89007-734-9

1. Vanier, Georges Philias, 1888-1967. 2. Gouverneurs généraux –
Canada – Biographies. 3. Vanier, Georges Philias, 1888-1967 – Religion. I. Titre.

FC621.V3V35   1992   971.064'3'092   C92-096565-2
F1034.3.V3V35   1992

Dépôt légal: 2ᵉ trimestre 1992
            Bibliothèque nationale du Québec
© Les Éditions Bellarmin, 1992

*Ce livre est dédié à la mémoire de mon père
et à ma mère qui partagea sa vie.*

*Il fut écrit avec l'aide de ma sœur
et de mes frères.*

*Nous remercions tous ceux qui ont rendu
possible sa publication et surtout Georges Cowley.*

Préface

J'ai accepté l'honneur et le plaisir d'écrire la préface d'une nouvelle édition du livre de Jean Vanier sur la vie intérieure de son père. J'essaierai, avec simplicité, de vous transmettre mes souvenirs de cet homme exceptionnel.

Comme médecin spécialiste en cardiologie, j'ai observé et soigné cet illustre malade pendant toute la durée de son mandat comme gouverneur général du Canada, de son assermentation, le 15 septembre 1959, à son décès, le 5 mars 1967. Une lésion valvulaire de son cœur, compliquée par un rythme irrégulier chronique et des symptômes d'insuffisance cardiaque, nécessitait une médication quotidienne et une surveillance très attentive. Ma tâche fut grandement facilitée par la présence à Ottawa d'un remarquable médecin de famille, le docteur Burton, avec lequel je partageais mes responsabilités et mes inquiétudes.

9

Déjà handicapé par le port d'une jambe artificielle depuis 1917, le général Vanier connaissait la fragilité de sa condition physique. Dans ce contexte, on comprend tout le sens de la prière avec laquelle il commença son discours d'assermentation: «En échange de sa force, je lui offre ma faiblesse.»

C'est précisément dans cette force providentielle qui l'animait depuis longtemps et dans une confiance inébranlable en Dieu qu'il a trouvé les ressources nécessaires pour accomplir avec courage, discipline et compétence, les lourdes tâches de gouverneur général.

À l'occasion de mes visites dans le wagon spécial de son train à la gare Windsor, à l'hôpital où il subissait des examens spéciaux et à la résidence d'Ottawa où je fis quelques séjours, j'ai graduellement découvert l'intensité et la profondeur de sa foi qui était le moteur de son comportement personnel, familial et officiel.

Homme de Dieu, il pratiquait toutes les vertus de l'Évangile avec modestie, humour, délicatesse, générosité, bienveillance et une chaleur humaine rayonnante.

Les impératifs du devoir l'emportaient parfois sur nos conseils de restrictions de ses activités. Il appartenait à Dieu de lui donner des signes plus évidents de fatigue. En attendant, il puisait la force indispensable pour accomplir ses fonctions dans la volonté de son Créateur. «Fiat Voluntas Dei» était d'ailleurs la devise de son blason personnel de gouverneur général.

Tout au long de ces années, j'ai eu la profonde conviction de soigner un «saint», tant il vivait une relation constante avec Dieu. La chapelle de la résidence était son lieu privilégié où chaque matin il assistait à la messe avec son épouse. Très discret sur sa spiritualité, il n'était ni apôtre, ni prêcheur, ni prosélyte. Néanmoins, il se dégageait de ses propos et de son attitude une atmosphère de sérénité communicative.

Sa silhouette aristocratique aurait pu intimider ses invités presque quotidiens au repas du soir. Pourtant, malgré la cravate noire et le cérémonial d'une table où chacun avait une place prédéterminée, on sentait rapidement une ambiance de cordialité extrêmement chaleureuse, simple et accueillante. On oubliait le protocole pour apprécier la gentillesse, l'accessibilité et la délicatesse des hôtes.

La collaboration de madame Pauline Vanier me fut extrêmement précieuse. Je profitais de la visite des serres, d'une promenade dans le parc ou de l'écoute d'une symphonie dans le salon privé pour expliquer mes préoccupations sur l'état de santé de son mari et sur le besoin d'alléger ses programmes journaliers. Avec une

11

très grande délicatesse, elle devint une complice et assuma elle-même de nombreuses missions de représentation. Avec le déclin de la santé du général, les visites médicales devinrent plus nombreuses, amicales et presque familiales. Ces rencontres m'ont permis d'apprécier les rares qualités de ce couple dont les caractères étaient très différents mais dont la spiritualité était la même.

La lecture du témoignage de Jean Vanier, fait en collaboration avec sa mère et sa famille, est une source d'inspiration pour nous, hommes et femmes, qui sommes à la recherche du bonheur dans la tourmente de nos activités quotidiennes. La vie intérieure du général Vanier est un modèle qui peut nous paraître inaccessible. Pourtant, que de messages de foi et d'espérance s'en dégagent, si nous nous appliquons à comprendre son cheminement spirituel, si bien décrit par son fils.

Paul David, c.c., g.o.q., m.d.
membre du Sénat

Introduction

Lorsque Georges Philias Vanier mourut le 5 mars 1967, la tristesse exprimée dans tout le Canada prit une ampleur qui étonna même ceux qui l'avaient connu le plus intimement. Près de 36 000 personnes vinrent au Sénat lui rendre un dernier hommage. De tous les coins du monde affluèrent d'innombrables témoignages de sympathie. Le matin de ses obsèques, un pays tout entier suspendait pour un instant ses activités quotidiennes. Rares sont les journaux et les postes de radio du Canada qui n'ont pas consacré à cet événement une grande partie de leur temps et de leur programme. Certains disaient que jamais auparavant dans l'histoire du Canada la mort d'un seul homme n'avait suscité une réaction aussi universelle et n'avait réussi à unir à ce point, même si ce n'était que pour un instant, la diversité extrême de notre pays.

13

Cette réaction presque universelle aurait étonné mon père plus que quiconque. Nous, ses enfants, ainsi que ceux qui l'ont connu le plus intimement, pressentions cette réaction, mais nous n'aurions jamais soupçonné qu'un homme d'une telle modestie et d'une si grande simplicité ait pu exercer une influence aussi profonde. Il se peut qu'à certains égards son rayonnement soit une énigme pour ceux qui manquent de sensibilité spirituelle. Car si mon père était un homme intelligent, ce n'était certainement pas une grand intellectuel. Sa lucidité le rendait d'ailleurs pleinement conscient de ses propres limites. Nous savons qu'après d'excellentes études à Montréal et à l'Université Laval, il passa un total de trois ans à pratiquer très consciencieusement sa profession d'avocat sans attirer une attention spéciale dans ce domaine. Soldat courageux et dévoué, diplomate compétent et perspicace, il n'était toutefois pas doué du génie qui caractérise ceux qui, dans ces professions, influent sur le cours de l'Histoire. En somme, dans chacune de ses nombreuses carrières, il fit preuve d'une haute compétence et d'une grande conscience professionnelle. Ce serait là sans doute la manière la plus juste de le décrire.

Il y avait aussi ces faiblesses et ces déficiences dont nous héritons tous avec notre tempérament et notre personnalité. Ce n'est pas pour rien qu'il était moitié français et moitié irlandais. Il lui arrivait d'avoir des réactions vives et même de s'emporter. Physiquement, en plus des difficultés croissantes que lui causait la perte d'une jambe, il était frêle, surtout dans ses dernières années, et souffrait de troubles cardiaques et d'autres malaises.

Pourtant, nombreuses étaient les personnes qui se sentaient attirées vers lui par la chaleur de sa seule présence. Sa grandeur ne provenait pas de connaissances intellectuelles ou scientifiques, mais plutôt de qualités qui relèvent de la volonté et du cœur. Une honnêteté scrupuleuse marquait sa vie professionnelle, honnêteté qui inspirait ses paroles comme ses actes: il n'exagérait jamais et avait en horreur tout ce qui pouvait ressembler à de la corruption chez ceux qui avaient de la responsabilité dans la cité. À bien des égards, il était un exemple vivant de l'homme juste selon l'Écriture Sainte et la sagesse des Anciens, c'est-à-dire scrupuleusement attaché à ses devoirs envers sa famille, sa patrie et son Dieu. Sa devise aurait pu être: «Je ne demande qu'à servir.»

Mais ces seules qualités de justice et d'honnêteté ne suffisent pas pour trouver la source de cette bonté chaleureuse qui émanait de lui. Parmi les personnes qui, au moment de sa mort, ont écrit à son sujet, nombreuses sont celles qui ont employé le mot «amour». Parmi tant d'autres, Hugh Kemp disait sur les ondes de Radio-Canada: «Il nous aima ouvertement et nous l'aimions de retour[1].» Et Catherine Doherty écrivait: «C'était par son amour de nous tous, qui s'exprimait en quelque sorte par une simplicité étonnante et par une grande accessibilité, qu'il portait Dieu plus près de nous[2].»

Mon père eut une vie publique qu'on pourrait appeler pleinement réussie; il accéda à la plus haute fonction du pays; il était honoré et estimé par tous. Mais il eut aussi une vie spirituelle qui fut, à bien des égards, cachée même à sa famille. Son succès sur le plan extérieur n'était pas sans liens avec sa vie intérieure. Au contraire, il nous paraît certain que celle-ci fut la source de sa grandeur dans la vie publique; elle le rendait particulièrement délicat à l'égard des autres, elle donnait à sa rectitude morale une sorte de chaleur et un rayonnement qui attiraient l'affection de tous. C'est pour jeter un peu de lumière sur cette source que nous avons décidé de publier ces pages.

Il va de soi que ces quelques pages sont incomplètes. Mais dans un domaine comme

---

1. Radio-Canada, le 8 mars 1967.
2. Catherine Doherty dans *Restoration*, Combermere, Ontario, avril 1967.

celui-ci, ne vaut-il pas mieux ouvrir quelques pistes plutôt que de tenter d'écrire une histoire complète ? Car les mobiles les plus intimes de l'homme, les inspirations qui orientent ses actes, ne sont pas facilement perceptibles. Nous pouvons seulement en avoir quelques indices. Nous avons rassemblé ces pages presque trop rapidement après sa mort, car il nous semblait souhaitable, au moment où son souvenir était encore vivant dans le cœur de ceux qui l'avaient connu et aimé, de leur permettre de connaître un peu la source cachée où il puisait sa force.

Mais à bien des égards nous hésitons. Il était en effet si discret au sujet de toute sa vie privée et intérieure qu'il pourrait sembler préférable d'adopter la même attitude et de garder ces pages uniquement pour les membres de sa famille et pour ses amis les plus intimes.

La discrétion dont il faisait preuve au sujet de sa propre foi lui venait du profond respect qu'il avait pour autrui. Toujours soucieux de ne blesser personne, il ne voulait ni prêcher, ni imposer ses croyances personnelles. Il aurait été le dernier à croire que les autres étaient moins bons que lui parce qu'ils ne partageaient pas sa foi.

En parlant de sa vie spirituelle, nous voulons imiter cette même discrétion. Nous souhaitons simplement faire connaître à ceux qui l'ont aimé et admiré certaines des lumières qui l'ont guidé dans sa vie publique.

Au lieu de consacrer tout un livre à sa vie spirituelle, nous aurions pu traiter de celle-ci dans une biographie plus complète. On aurait alors situé l'aspect spirituel dans un contexte plus vivant qui aurait montré son amour pour sa famille, ses amis, son régiment et son pays avec ses deux cultures. Toutefois, cela aurait pu avoir pour effet de noyer le spirituel dans un flot de détails. Nous estimons que sa vie spirituelle, sa vie de prière et de réflexion, ne constituait pas seulement une partie très importante de son existence mais qu'elle était la source même de ses actes, de son amour et de sa délicatesse, de son sens du devoir, de son intégrité et de sa volonté de servir.

Un livre dédié à sa vie spirituelle a l'avantage de mettre en évidence ses mobiles les plus profonds, et de montrer ainsi plus clairement le rôle que jouait sa foi chrétienne dans sa vie personnelle et publique. Cependant, nous nous rendons bien compte qu'on pourrait alors avoir l'impression qu'il était, d'une certaine façon, un peu «désincarné», séparé de nous tous par des expériences spirituelles que la plupart d'entre nous ne peuvent envisager, qu'il était en quelque sorte un modèle inimitable. Nous avons néanmoins décidé de nous exposer à ce risque, convaincus que ceux qui l'ont connu, si peu que ce soit, savent combien il était près de nous tous, que, loin d'être «désincarné», il était ouvert à toutes les valeurs humaines, qu'il s'intéressait à tous et à tout et qu'il portait une attention particulière à la génération montante.

Il avait, en effet, ses joies toutes simples, il avait un sens de l'humour merveilleux et il savait rire; il avait un sens aigu du devoir et comme tout le monde il avait ses défauts et ses sautes d'humeur. On retrouvait chez lui des jugements *a priori* qui provenaient de sa première éducation et du milieu où il avait vécu. Sa formation fut marquée par l'amour de la tradition; c'était néanmoins un homme de notre temps, ouvert à tous les nouveaux courants d'idées. Évidemment, comme chacun de nous, il était tiraillé d'une part par des conceptions traditionnelles, de l'autre par les nouvelles formes de pensée et d'expression qui caractérisent notre monde moderne. Mais son humilité et son ouverture d'esprit l'ont aidé à résoudre ces conflits.

Ce livre ne prétend aucunement être une biographie. M. Robert Speaight l'écrit actuellement. Des témoignages nous ont fait comprendre qu'on attend des lumières sur la vie profonde et intérieure de mon père. Nous avons voulu répondre à cette attente en indiquant certains des traits de sa vie spirituelle. Nous nous rendons bien compte, en publiant ces pages, que nous sommes loin d'être à la hauteur de la tâche. D'autres auraient pu faire mieux que nous. Nous nous en excusons auprès de ceux qui l'aimaient et qui se seraient attendus à un ouvrage plus complet. Tout ce que nous souhaitons, c'est que ces pages révèlent, sans exagérer et sans faire de lui un personnage éloigné, un peu de son humilité, de son amour et de son respect pour tous les hommes, qualités qui trouvaient leur source dans son amour et son expérience personnelle de Jésus-Christ.

1

«J'étais dans la joie quand on m'a dit:
Allons à la maison du Seigneur»

Le samedi 4 mars 1967, personne à la Résidence du gouverneur général à Ottawa ne se doutait que mon père allait mourir le lendemain. Il est vrai qu'il était fatigué et facilement à bout de souffle. C'est pour cette raison que les médecins lui avaient conseillé de respirer de l'oxygène lorsqu'il en sentirait le besoin.

Vers la fin de l'après-midi, l'un de ses aides entra dans sa chambre et, apercevant le masque d'oxygène fixé sur son visage, lui dit: «On dirait que vous venez d'arriver de l'espace.» «Non, lui répondit-il sans un instant d'hésitation, je suis sur le point d'y aller.» Se rendait-il déjà compte que son départ était imminent?

Ce soir-là, il suivit la partie de hockey télévisée et fut heureux de voir son équipe favorite, les Canadiens de Montréal, remporter la victoire. À la fin du match, on le transporta en fauteuil roulant à la chapelle. Comme tous les soirs, il demeura un bon moment devant le tabernacle où il se recueillait en présence de Dieu.

Le lendemain matin, lorsque ma mère entra dans sa chambre, elle s'aperçut en touchant sa main que quelque chose n'allait pas; il paraissait extrêmement faible. Quand le docteur Burton, son médecin privé, arriva vers 9h30 pour sa visite quotidienne, il constata que mon père était mourant. Celui-ci était paisible et somnolent, ne semblait aucunement inquiet ou angoissé. Vers 10 h, son fidèle aumônier, le chanoine Guindon[3], lui donna la communion, après qu'il eut doucement récité, par trois fois, les paroles habituelles prescrites par la Liturgie: «Seigneur, je ne suis pas digne de te recevoir, mais dis seulement une parole et je serai guéri.» La messe devait commencer quelques instants plus tard dans la chapelle voisine et mon père, consultant l'horloge devant son lit, nous rappela que l'heure était venue de nous y rendre.

---

3. Le chanoine Guindon fut aumônier à Rideau Hall depuis le début du mandat de mon père. Il mourut lui-même quelques mois après le décès de mon père.

Là, tout près de sa chambre, nous avons récité tous ensemble les paroles du psaume 122 qui fait partie du chant d'entrée de la messe de ce quatrième dimanche du carême: «J'étais dans la joie quand on m'a dit: Allons à la maison du Seigneur.» Nous avons prononcé ces paroles les larmes aux yeux, mais le cœur en paix. Nous savions, en effet, que le temps était venu pour lui d'entrer dans la joie de son Père du ciel.

Après la messe, nous sommes tous revenus dans sa chambre. Le chanoine Guindon lui administra le Sacrement des malades et, paisiblement, il rendit son dernier soupir. Une profonde sérénité nous envahit tous. Il mourait comme il avait vécu, avec une très grande simplicité, sans agonie, sans dernière parole, juste dans le silence et la paix. Autour de son lit, nous demeurions tous dans ce même silence et cette même paix.

Mais cette paix qu'il avait en mourant n'était pas venue sans sacrifice. À peine quarante-huit heures avant sa mort, il avait donné sa démission comme gouverneur général, accédant à l'avis de ses médecins. Et pourtant, il aurait tant voulu rester pour inaugurer l'Exposition universelle à Montréal et pour représenter le peuple canadien qu'il aimait tant; il parlait des chefs d'État qui devaient venir durant l'année du centenaire; il parlait des préparatifs pour la visite du général de Gaulle. Le verdict médical était pour lui signe de la volonté de Dieu. Il l'accepta et son cœur fut en paix, malgré la grande incertitude de son avenir.

Le docteur Paul David[4], son cardiologue, rendit le témoignage suivant sur ses derniers moments, dans une lettre qu'il a écrite à ma mère en juillet 1967:

> Son abandon à la volonté de Dieu lui donnait une rare sérénité et une véritable paix intérieure. Son principal désir humain fut de servir le pays le plus longtemps possible... avec le peu de forces qui l'animait. J'ai l'impression que durant les six derniers mois votre mari a livré une lutte dont peu de personnes ont pu apprécier l'intensité et la profondeur.
>
> En septembre 1966, les symptômes de l'insuffisance cardiaque s'aggravent et motivent un traitement plus intense. Quelques semaines plus tard, on doit pratiquer une opération urgente qui ne donne lieu à aucune complication sérieuse. Cependant, malgré un repos prolongé, l'insuffisance cardiaque persiste. C'est ainsi que débute l'année 1967, l'année du Centenaire, l'année de l'Expo.
>
> Au fur et à mesure que s'élabore le programme, particulièrement chargé, des six mois de l'Expo, nous nous inquiétons, le docteur Burton et moi, de l'incapacité physique presque évidente de notre

---

4. Le docteur Paul David est président de la Société américaine de cardiologie et fondateur de l'Institut de cardiologie de Montréal.

malade. Dans ces conditions, comment pourra-t-il faire face à ses obligations? Nous lui suggérons d'augmenter chaque jour ses activités et de prendre ses repas à la salle à manger. Cette épreuve nous paraît essentielle pour évaluer la possibilité d'effort physique. Elle permettra aussi à votre mari de se rendre compte lui-même de son état. Après trois semaines de ce régime, la réponse demeure incertaine. Et, d'accord avec votre mari et vous-même, nous décidons de faire venir le docteur Paul Dudley White de Boston. Après un examen minutieux du malade et de la situation, le docteur White ne voit vraiment pas comment le malade pourrait assumer ses fonctions. Avec une très grande délicatesse, le docteur White explique la situation à votre mari. Le lendemain matin, en nous quittant, le Général nous avoua: «Mes amis, vous avez raison. J'accepte votre verdict. Je sens bien depuis quelque temps le poids presque intolérable de mes efforts.» Puis il ajouta: «Puis-je vous demander une seule faveur, celle de recevoir comme convenu un groupe d'étudiants de l'Université de Montréal. Je voudrais être fidèle au rendez-vous. Je leur adresserai, je vous promets, mon dernier discours de Gouverneur...»

Votre mari tint parole. Il fit part au Premier ministre de sa décision de se retirer. Il parla aux étudiants. Deux jours plus tard, pendant la messe *Lætare* (de la joie), il mourut, tout doucement.

Pour un catholique attentif aux signes, j'ai eu l'impression que le «oui» de votre mari au verdict médical était attendu par la Providence. Ce «oui» du dépouillement et du détachement était sans doute nécessaire. Le décès, trois jours plus tard, était-il coïncidence?

Pendant sept ans, nous avons eu le privilège de recevoir quelques confidences. Nous sommes certains que votre mari avait atteint un sommet réservé à quelques humains exceptionnels. En effet, votre mari vivait vraiment en Dieu et par Dieu. La présence de Dieu se traduisait dans ses gestes et dans ses paroles, avec, bien entendu, une discrétion extrême et une simplicité déroutante. La sainteté est-elle autre chose que cette vie intime et constante avec Dieu? Cette ultime acceptation par votre mari de notre verdict médical d'incapacité m'a paru être le signe attendu par Dieu pour ensuite le combler.

S'il voyait venir la mort sans crainte — et je suis sûr qu'il cherchait aussi à nous épargner toute inquiétude —, c'est à cause de sa certitude de la vie après la mort. Sa foi, en effet, fut très profonde. Les derniers mois de sa vie, il ne lisait plus que les Évangiles et les Épîtres de saint Paul. Sa vie était toute donnée à Dieu et à ses frères; et sa mort n'était pas une fin, mais le commencement d'une présence plus totale à Dieu.

Georges Vanier est mort comme il a vécu [disait le cardinal Léger dans son homélie à la messe des funérailles à Ottawa]. Il avait accepté la prolongation de son mandat afin de pouvoir ouvrir les portes de l'Exposition universelle. Les autorités gouvernementales avaient été bien inspirées en prenant une telle décision. Mais tout en acceptant de rendre ce dernier service à son pays, le gouverneur général savait que son pauvre cœur devrait faire un ultime effort. Il est donc mort au Champ d'Honneur. Il aura été jusqu'à la fin fidèle à sa vocation première. Les vieux soldats disparaissent dans un halo de gloire. Mais il aura aussi été fidèle à sa vocation de chrétien, de baptisé[5].

---

5. Le cardinal Léger, homélie à la messe des funérailles dans la Basilique d'Ottawa, le 8 mars 1967.

2

«*En toute évidence,*
il marchait avec Dieu[6]»

Mais avait-il toujours éprouvé cette paix et cette
sérénité, ou bien était-ce le fruit de tout un travail sur lui-même et d'un lent progrès spirituel?
En regardant sa vie, il est assez aisé de percevoir
les deux grandes étapes de l'évolution intérieure
qu'il a franchies avant d'accéder à cette paix.
Il paraît que mon père avait déjà dans sa
jeunesse une foi réelle; et jeune homme, il avait
un grand sens du devoir, une conscience scrupuleusement délicate et une honnêteté parfaite.
On pourrait peut-être dire que sa foi était
colorée d'un certain jansénisme, inspirée par la

---

6. «Georges Vanier», par Robert Speaight, *The Tablet,* le 8 mars
1967.

crainte plutôt que par l'amour. Il n'avait jamais manqué de participer à la messe du dimanche, mais il ne communiait toutefois que deux ou trois fois par an, immédiatement après s'être confessé, de peur de n'être pas assez pur en recevant son Seigneur. Nous savons aussi qu'au cours de la Première Guerre mondiale, il faisait tout ce qu'il pouvait pour empêcher ses soldats de blasphémer. Mais il n'y a pas de doute que sa vie spirituelle, même si sa foi était fortement enracinée, n'avait pas encore commencé à s'épanouir car l'élément de peur semblait dominer l'amour. À partir de son mariage cependant, sa vie de foi commence à évoluer. La sérénité de ma mère — caractéristique de sa vie spirituelle — a inspiré un désir commun à tous les deux d'approfondir leur vie intérieure.

Ma mère cherchait à prendre conseil auprès de ceux, hommes et femmes, qu'elle savait être des âmes de prière. Elle fut attirée particulièrement par un jésuite écossais, Fr. Steuart, qu'elle entendit prêcher pour la première fois en 1933 et qui fut pour elle un conseiller précieux dans sa vie spirituelle. À cette époque, mon père était Secrétaire à Canada House à Londres. Il ne rencontra Fr. Steuart cependant qu'en 1938. Un jour, au printemps de cette année, il feuilletait un journal et nota que

Fr. Steuart devait prêcher au cours d'une cérémonie du Vendredi saint. Il en fit la remarque à ma mère qui lui dit: «J'aimerais bien l'entendre, ne viendrais-tu pas avec moi?»

Ce fut ainsi, et non sans une certaine hésitation, que mon père accompagna sa femme pour entendre prêcher Fr. Steuart. Celui-ci parla très simplement mais de façon émouvante de l'amour de Dieu, d'un Dieu qui sacrifia son Fils pour la rédemption de l'homme. Ma mère se souvient qu'en quittant l'église à la fin de la cérémonie, mon père semblait bouleversé. Peu de temps après, il dit à Fr. Steuart lui-même que son sermon avait changé le cours de sa vie. Pour la première fois, il commençait à comprendre combien Dieu aime les hommes. Ainsi, peu à peu, il partageait la compréhension plus profonde de sa femme et cette nouvelle communion établie entre eux devint la base de leur union conjugale; elle leur permit d'avancer ensemble toujours plus profondément dans la vie spirituelle.

* * *

Sa vie de foi commença ainsi à s'approfondir. Il se mit à communier tous les dimanches et, peu de temps après, exprima le désir d'accompagner ma mère tous les matins à la messe. Dès ce moment, sauf lorsque des événements vraiment exceptionnels l'en empêchaient, il tenait à mettre chaque jour sous le signe de l'amour du Christ et à communier à son Corps. Ma mère nous disait comment sous les bombardements de Londres en 1940, après s'être échappé de France où il fut ministre du Canada auprès du gouvernement français, et comment à Alger lorsqu'il fut le représentant canadien auprès du général de Gaulle, toujours il s'efforçait de ne jamais manquer la messe malgré l'effort physique que cela lui imposait. Si parfois il était empêché d'y participer, il s'arrangeait pour que ma mère et lui puissent aller ensemble recevoir la communion. On comprend alors pourquoi plus tard, quand mon père fut nommé gouverneur général, mes parents voulaient qu'il y ait une chapelle dans la Résidence à Ottawa, où chaque jour ils pourraient assister à la célébration eucharistique.

Cette chapelle, située près de sa chambre, était devenue le centre de la maison. Jamais mon père ne passait devant la porte sans l'ouvrir, sans s'incliner en geste d'adoration devant le tabernacle. Jamais il n'entreprenait une fonction importante sans venir à la chapelle demander la lumière de l'Esprit-Saint, et souvent il y entrait simplement pour se recueillir quelques instants.

J'espère qu'à ce moment, écrivait-il dans une lettre datée peu de temps après son installation comme gouverneur général, nous aurons le tabernacle où régnera le Christ-Roi. Je lui remets les clefs de la maison, je lui cède la place, je lui dis d'occuper le trône et de me laisser servir à ses pieds.

En plus de la célébration eucharistique et des visites passagères au Saint Sacrement, mon père sentait, comme ma mère, le besoin de consacrer une demi-heure dans la journée à la prière personnelle et silencieuse. Quelles étaient les influences qui l'amenèrent à cette vie d'oraison? Depuis 1946, lorsqu'il était ambassadeur à Paris, cette demi-heure de prière était devenue une habitude quotidienne pour mes parents.

Ils avaient été aidés alors par un prêtre dominicain et par une religieuse carmélite, amie de ma mère depuis de longues années. Mon père d'ailleurs aimait correspondre avec elle car il la sentait très unie à Dieu. C'est par elle et par ma mère, qui depuis longtemps était attirée par la spiritualité du Carmel, qu'il prit contact avec saint Jean de la Croix et sainte Thérèse d'Avila.

Il aimait beaucoup lire les livres spirituels de Father Boylan[7] qu'il avait lus même plusieurs fois, comme la lettre suivante écrite à un père

---

7. Father Boylan fut le père abbé d'une abbaye trappiste en Irlande. Parmi ses nombreux ouvrages, *Difficultés de l'oraison mentale* a été traduit de l'anglais.

abbé d'un monastère trappiste, le 9 mars 1964, peu de temps après la mort de Father Boylan, le démontre:

> Bien que je n'aie jamais eu la joie de le rencontrer, je l'ai bien connu à travers ses écrits spirituels que j'ai tous lus et, dans certains cas, plus d'une fois. Il me semble que je dois à sa mémoire et à moi-même de témoigner ma gratitude. Tout a commencé curieusement en lisant dans une traduction française, *Difficultés de l'oraison mentale*, que j'avais trouvée à la porte d'un carmel de Paris. Ceci était le début d'un changement important dans ma vie.

La décision de mon frère aîné de devenir moine dans l'ordre cistercien des Trappistes, en 1946, a confirmé, si je peux dire, l'attirance de mon père vers l'esprit de saint Bernard, fondateur de l'Ordre, avec lequel il a pris contact à travers le père Boylan.

C'est ainsi que nous pouvons noter que la spiritualité de mon père — lui qui durant toute sa vie publique était si actif et si préoccupé des choses officielles — s'est développée sous le rayonnement des écrits de saints mystiques, de moines et de religieuses cloîtrés et contemplatifs. C'est donc sous leur influence que mes parents ont décidé de consacrer tous les jours un certain temps à la prière silencieuse. À Paris, souvent ils allaient ensemble dans la voiture de l'ambassade avec leur fidèle chauffeur, monsieur

Fromaget, à la chapelle de la rue Cortambert pour faire ce qu'ils appelaient leur «demi-heure». Celle-ci était quelque chose de sacré dans la journée. Jamais ils ne laissaient la fatigue ni les préoccupations entraver cette rencontre avec le Sauveur. Mon père avait d'ailleurs souligné le passage suivant de l'un des livres du père Boylan:

> Il n'y a rien à faire, on vous demandera de consacrer une heure par jour à la lecture, à la réflexion et à la prière, aussi occupé que vous puissiez être. Personne n'est trop occupé pour nourrir son corps, ni personne trop occupé pour nourrir son âme[8].

Il était tellement convaincu de cette vérité que si, pendant la journée, il n'avait pas pu faire son oraison, il la faisait avant de se coucher. Que de fois, en entrant dans sa chambre pour lui dire bonsoir, nous l'avons trouvé paisiblement assis sur une chaise ou dans son lit, les mains jointes. Par un signe ou une parole, il nous faisait comprendre qu'il était en prière et que nous pourrions revenir plus tard.

Il est évident que ce temps d'oraison était souvent empreint de sécheresse et de difficulté. On pouvait le voir regarder sa montre pour savoir si le temps était écoulé, mais jamais on ne

---

8.   Father Boylan, *Spiritual Life of the Priest*, p. 16, Mercier Press, 1949.

le voyait avec un livre. Il demeurait en silence, devant le tabernacle et la croix, ou dans sa chambre. À certains moments, il était évidemment dans une paix et un recueillement profonds. Mais, que ce fût dans la sécheresse et la distraction ou dans une paix profonde, il demeurait toujours fidèle à ce rendez-vous qu'il s'était fixé avec son Dieu.

Que se passait-il au cours de cette rencontre avec le Seigneur? Nous n'en avons que très peu d'indices. Demeurait-il tout simplement devant le tabernacle en offrant à Jésus des actes de foi et d'amour, demeurait-il dans une attitude d'abandon et d'amour en priant Jésus de prendre davantage possession de lui? Nul ne le sait. Ici, nous touchons au mystère des relations secrètes entre l'homme et son Créateur. Car mon père parlait très peu de ces moments de prière. Nous n'en avons que quelques indications; les livres qu'il avait lus et les passages qu'il a soulignés, et surtout quelques notes précieuses griffonnées sur de petits bouts de papier, que nous avons trouvées après sa mort, éparpillées parmi ses papiers personnels.

Quelques-unes de ces notes sont rédigées en français, d'autres en anglais. Il est évident qu'elles ont été écrites rapidement, mais néanmoins avec un certain soin. Elles ne constituent pas un journal et il semble bien que mon père ne pensait jamais qu'elles seraient publiées. Il ne les avait ni rassemblées, ni classées. Pourquoi alors les rédigeait-il? Nous ne le saurons sans doute jamais. Peut-être le faisait-il simplement pour lui-même. En effet, ceux qui éprouvent des expériences spirituelles les mettent quelquefois par écrit afin de se les rappeler plus tard lorsqu'elles semblent lointaines. Quel qu'en soit le motif — et il est d'ailleurs possible que mon père ait seulement désiré répondre à une impulsion du moment —, ces notes demeurent très précieuses pour nous.

La première de ces notes que nous avons trouvée est datée du 15 août 1952; mon père était alors ambassadeur à Paris. Elle indique une méthode assez précise dans sa façon de prier.

Aujourd'hui, j'ai commencé comme d'habitude en remerciant Dieu de me permettre de venir chez lui. Puis, suivant ma coutume, je lui ai dit que je venais l'adorer. Créateur du Ciel et de la terre... Je lui ai dit que: a) je voulais l'aimer de plus en plus; b) je savais qu'Il m'aimait; c) je Lui demandais de m'enseigner la façon de L'aimer car je ne le savais pas, et avais besoin de son aide. J'eus alors une surprise: je me mis à répéter d'une façon très intense et très spontanée que je L'aimais. Le remerciant de me donner la grâce de L'aimer. Ainsi pendant quelque temps *je ne pouvais* passer au point suivant, répétant toujours que je l'aimais et que je voulais l'aimer davantage...

Je n'ai jamais passé au point suivant, d'abord retenu à ce point d'amour et ensuite n'ayant aucun désir de le quitter. Le point suivant était d'habitude que je voulais conformer ma volonté à la sienne, et ensuite ma coutume était de demander des grâces pour certaines personnes qui souffrent ou qui ont besoin du secours de Dieu pour des raisons diverses.

La note datée du dimanche 23 novembre 1952 indique, par contre, une union plus particulière avec Jésus; on y trouve une ardeur et une simplicité assez étonnantes pour un homme de 64 ans.

Au cours de ma demi-heure d'oraison, je demande depuis quelque temps à Jésus de me donner Son Amour pour L'aimer, de me permettre d'avoir soif de Lui comme Il a soif de moi, d'avoir faim de Lui comme Il a faim de moi, mais je ressentais toujours quelque hésitation. Cependant ce matin, après la communion, mon hésitation disparut: je sentais que le Christ était en moi et moi en Lui. Il pourrait croître et moi décroître à un degré tel qu'Il *pourrait* avec le temps dire de moi «Ceci est mon Corps». Il me semble donc que moi en Lui je pourrais L'aimer comme Il m'aime, avoir soif de Lui comme Il a soif de moi, avoir faim de Lui comme Il a faim de moi. C'est ainsi qu'avec confiance je dirai à l'avenir: «Ô Christ, donne-moi ton Amour, pour que je puisse T'aimer de cet Amour, permets que j'aie soif de Toi comme Tu as soif de moi, que j'aie faim de Toi comme Tu as faim de moi.» Ainsi, je pourrai L'aimer comme Il le désire. Toute autre manière serait indigne de Son Amour pour moi[9].

---

9. Traduit de l'anglais.

La note du 11 mars 1953, écrite sûrement durant une visite officielle comme ambassadeur, démontre que mon père, au moins à certains moments particulièrement privilégiés, ne restreignait pas sa prière à des temps limités. Au contraire, celle-ci semblait se prolonger dès le réveil à travers une partie de la journée.

Hier matin, à Reims, je demeurai dans un état de prière pendant un temps plus long que jamais auparavant. J'avais demandé qu'on me réveille à 7 h du matin pour assister à la messe de 8 h. Je me réveillai un peu après 6 h et commençai immédiatement une oraison sans aucun effort et continuai jusqu'à 7 h. Au cours de la messe de 8 h, dans la crypte de la cathédrale, même prière tout le temps. Après le petit déjeuner, nous sommes retournés à la cathédrale pour notre demi-heure d'oraison. Cette fois, de nouveau, je me sentis très près, si près de Jésus et cela se poursuivit pendant la visite de la cathédrale jusqu'au moment de monter dans la voiture pour retourner à Paris. De 6 h à 11h30, je ressentis plusieurs touches de grâce. Je n'ai pas écrit cela hier soir parce que j'étais trop fatigué[10].

Nous aimions tous aller à Vézelay, petit village de la Bourgogne où se trouve une des plus belles basiliques romanes de France. Un ami avait laissé une petite maison à la jouissance de mes parents. Ils y allaient pour des vacances

_____

10. Traduit de l'anglais

occasionnelles. C'est ainsi que mon père s'y trouvait pour la fête de la Pentecôte 1953 et il a écrit la note suivante indiquant un véritable tournant dans sa vie spirituelle.

Après le petit déjeuner, à la suite de la messe de 7h30, je me proposais de travailler un peu à une allocution... Je me rendis donc dans une chambre avec mes papiers et fermai la porte. Sans aucune préméditation de ma part, je commençai à invoquer l'Esprit-Saint comme je ne l'avais jamais fait auparavant, par une prière toute personnelle, directe, sincère et amoureuse; je suis convaincu que c'était l'Esprit-Saint agissant sur et en moi. Dans le passé, ma prière, en général, était adressée à Jésus qui est devenu un compagnon... Mais, ce matin, en invoquant l'Esprit-Saint, je priai également d'une façon inhabituelle Dieu le Père et la sainte Trinité, comme s'ils étaient, tout comme Jésus, des personnes avec lesquelles j'avais établi une relation toute personnelle.

Je priai également avec ferveur Notre-Dame... Il y avait alors plusieurs touches de grâce durant cette période qui a duré à peu près une heure. Comme il était alors 10h15, j'allai à la grand-messe à la basilique, après quoi je fis une demi-heure de prière dans l'église et ensuite environ une demi-heure à la maison en attendant Pauline qui était allée à la Pierre-qui-vire pour chercher Michel.

Cet après-midi, j'ai assisté aux vêpres et au Salut du Saint Sacrement. J'ai senti un appel très spécial à la prière aujourd'hui, sans éprouver beaucoup de fatigue. Deo Gratias Spiritui Sancto.

Je pense à la fête de l'Assomption l'année

dernière. Le jour de gloire de Marie fut une étape décisive dans ma vie spirituelle. Je crois aussi que la fête de l'Esprit-Saint en est également une aujourd'hui.

Mon père, nous le voyons, à certains jours peut-être privilégiés, ne limitait pas sa prière à une seule demi-heure. Il y avait des fois où, par un appel spécial de Dieu, semble-t-il, il se mettait en prière dès le réveil. Certaines notes révèlent que cette présence de Dieu demeurait très vivante au cours de la journée; comme le disait si bien Robert Speaight: «En toute évidence, il marchait avec Dieu.»

Mon père prit sa retraite le 1er janvier 1954. Mes parents quittèrent Paris et, après quelques mois de repos en Europe, sont repartis pour le Canada, et s'installèrent dans un petit appartement, rue Sherbrooke à Montréal. Ces années de retraite, entre sa vie à Paris et le commencement de son mandat comme gouverneur général, furent particulièrement douloureuses pour mon père. L'inactivité lui pesait beaucoup. Nous avons peu de notes spirituelles de cette époque mais nous en citons une qui démontre comment sa vie spirituelle se simplifia dans une union de vie avec Jésus.

Hier matin, je quittai l'appartement à 7 h. Sans aucune préméditation, je commençai à parler à Jésus comme s'Il était à mes côtés, comme s'Il était

41

un vieil ami. Je lui ai dit combien j'étais heureux d'aller à la messe avec Lui. C'est la première fois que j'ai une conversation aussi facile avec Jésus, sans aucun effort de ma part[11].

Si mon père ne prenait jamais un livre durant le temps consacré à la prière, il reste que son oraison était nourrie des écrits des saints, spécialement des mystiques, ainsi que des livres consacrés à la vie de prière.

Parmi les mystiques qu'il lisait, saint Jean de la Croix tenait une place privilégiée. Il aimait dire parfois, avec un air un peu malicieux et un regard riant: «C'est Jean de la Croix qui est mon directeur spirituel. Ce n'est pas mal, n'est-ce pas?» En effet, ses œuvres complètes, avec celles de sainte Thérèse d'Avila, étaient constamment à son chevet. Combien de fois nous le trouvions le soir, ou après le petit déjeuner qu'il prenait au lit, crayon à la main, lisant attentivement tel ou tel passage de saint Jean de la Croix.

N'est-ce pas ce que saint Jean de la Croix dit des ténèbres de la foi qui attirait mon père vers lui? Ses notes spirituelles peuvent donner l'impression d'une certaine luminosité mais en réalité sa vie semblait être davantage dominée par la foi avec tout ce qu'elle implique de dur. Le

---

11. Traduit de l'anglais.

passage suivant écrit le 5 avril 1953 lorsqu'il était à Paris comme ambassadeur semble l'indiquer.

> Ce matin, au lit, avant de me lever, après m'être adonné pendant quelque temps à la prière affective, je me trouvai en train de demander à Jésus de me prendre par la main et de me conduire à travers l'obscurité. Pendant la journée, j'ai lu les sept derniers paragraphes du chapitre 16, livre 2 de la *Nuit obscure de l'Esprit* et fus frappé par l'explication claire et convaincante que Jean de la Croix donne des mots «dans les ténèbres et en sécurité»[12]!

Les livres du père Boylan, comme nous l'avons indiqué, ont joué un grand rôle dans sa vie; il y revenait constamment. Le premier qu'il ait lu, *Difficulties in Mental Prayer*, et plus tard, *This Tremendous Lover* ont marqué profondément sa vie spirituelle. Il semble l'avoir découvert à un moment particulier où il en avait besoin. Le style du père Boylan lui plaisait; il avait senti à la fois en lui le spirituel mais aussi le théologien sûr sans fantaisie et s'appuyant intimement sur les écrits des saints. En lisant ces ouvrages, il a trouvé toute une ouverture vers l'amour de Dieu, si opposée à une attitude de crainte: Dieu qui se fait proche du cœur de l'homme et qui désire avoir une relation amicale avec lui. C'est par les citations et la bibliographie qu'il avait

---

12. Traduit de l'anglais.

trouvées qu'il s'était mis sur la piste d'autres auteurs spirituels: sainte Marguerite-Marie Alacoque, les livres de l'abbé Saudreau sur la vie mystique, le père Poulain, *Grâces d'oraison*, le petit livre *Traité de la vraie dévotion à la Sainte Vierge* de saint Louis-Marie Grignion de Montfort et tant d'autres...

Les livres du père Dehau, dominicain français éminent mort en 1957, ami de Léon Bloy et qui a beaucoup marqué la vie de Jacques et Raïssa Maritain, Van der Meer de Walcheren et bien d'autres, ont influencé également mon père, comme en témoigne la lettre suivante écrite le 6 mars 1958:

> Oui, le père Dehau est une personne extraordinaire et, de plus, un saint. Il vivra — je dirais pour toujours — dans ses livres, pour le plus grand bien des âmes.

Durant les six dernières années de sa vie, il a lu six fois, dans une édition de poche sur laquelle il inscrivait à la dernière page la date à laquelle il terminait la lecture, les écrits autobiographiques de sainte Thérèse de Lisieux, jeune carmélite française, morte à l'âge de 24 ans, en 1897. Cette préférence pour la jeune et ardente sainte qui parlait tant de la confiance et de la simplicité n'est-elle pas significative de la spiritualité de mon père?

Mais mon père ne se contentait pas seulement d'une vie de prière, il aimait aussi à partager avec les autres sa foi en la force de la prière et à souligner son importance capitale. Dans une allocution prononcée à l'église anglicane St. Bartholomew à Ottawa, le dimanche 15 novembre 1964, il disait:

> Comme vous pouvez le constater, il y a ici plusieurs plaques commémoratives qui rappellent le souvenir d'anciens résidents de Rideau Hall. On peut vraiment sentir leur présence. Pourquoi venaient-ils? Pour prier. Seulement pour prier. Mais prier, c'est ce qu'il y a de plus grand. Si seulement on pouvait se rendre compte de la puissance de la prière!
>
> L'Ancien comme le Nouveau Testament contient de nombreuses exhortations à la prière. Dans l'Évangile de saint Luc, le Christ dit: «Veillez donc et priez en tout temps, afin d'avoir la force d'échapper à tout ce qui doit arriver, et de paraître avec assurance devant le Fils de l'Homme...»
>
> Mon plus grand désir, c'est que la prière soit pour nous une source d'unité car nous avons en commun tant de raisons de prier.

Mais s'il a parlé de la prière, on ne peut dire qu'il prêchait. Dans l'ensemble, il parlait peu de Dieu. C'était par quelque chose d'autre, un rayonnement mystérieux de bonté, un respect extraordinaire des autres, un sentiment de paix, qu'il communiquait, une sorte de présence de Dieu à d'autres, ce qui faisait dire au cardinal

Léger «la présence de Dieu était son milieu habituel[13]», et au père Gay:

> Ceux qui l'ont approché ont été profondément impressionnés par l'atmosphère de paix qui l'entourait et dont il était le centre. Dieu sortait de cet homme pour se répandre en ceux qui l'abordaient. Certains laissent après eux une impression de grandeur. Lui, il laisse une traînée de paix et de suavité, une aura de dignité plus qu'humaine, celle-là même de Dieu.

Mais il serait erroné de croire que ces moments de prière enlevaient mon père aux réalités de la vie courante. Nous sommes convaincus que loin de l'enlever à ses devoirs d'état, ils étaient à la source de sa rectitude morale et de sa délicatesse de cœur. Rappelons-nous que celui qui écrivait les notes spirituelles citées était quelqu'un très pris par les devoirs et les activités d'une vie officielle. Ceux qui l'entouraient ne voyaient que son application scrupuleuse à ses responsabilités et son rayonnement de bonté. Ils ne pouvaient pas soupçonner la source cachée.

---

13. Allocution du cardinal Léger donnée à la télévision le 5 mars 1967.

3

«La faiblesse des moyens humains est une cause de force [14]»

Lors de son discours d'installation comme gouverneur général, au Sénat, le 15 septembre 1959, il déclara:

Mes premiers mots seront une prière. Que le Dieu Tout-Puissant, dans sa Sagesse infinie et sa miséricorde, bénisse la mission sacrée qui m'a été confiée par sa Majesté la Reine, et qu'Il m'aide à l'accomplir en toute humilité. En échange de sa force, je lui offre ma faiblesse. Qu'Il accorde à notre pays bien-aimé et à tous ceux qui l'habitent la grâce d'une compréhension, d'un respect et d'un amour réciproques.

---

14. Paroles de Charles de Foucauld soulignées par mon père dans *Itinéraire spirituel de Charles de Foucauld* par J. F. Six, Paris, Seuil, 1958, p. 252.

Ce lien profond entre sa propre faiblesse et la force et la miséricorde de Dieu était l'un des fondements de sa vie spirituelle, comme le révèlent tant de ses lettres et particulièrement celle-ci écrite à une sœur carmélite, amie de ma mère, le 22 août 1959, juste avant d'assumer ses fonctions de gouverneur général.

Savoir que vous me portez dans votre cœur et dans votre prière m'est nécessaire; sans la prière de ceux qui m'aiment dans le Cœur de Jésus, je serais pris de panique, je n'oserais pas à mon âge affronter la charge qui m'attend.

Sachant que je n'ai pas la force requise, j'espère que ma faiblesse me sauvera. Alors je dis à Jésus: «Je dépose mon cœur dans la plaie de votre côté; faites-en ce que vous voulez. Qu'il batte à l'unisson de Votre Cœur si c'est votre bon plaisir, sinon qu'il soit consumé dans le feu de Votre Amour.»

Jésus a fait un échange de cœur avec sainte Marguerite-Marie et avec d'autres saints et saintes. Priez-le de m'accorder aussi cette grâce, sans quoi je ne pourrais pas accomplir la mission qu'il nous a confiée à Pauline et à moi. Priez-le de me donner la force, Sa force quotidienne, au jour le jour. Jusqu'à ce jour, il semble agir de cette façon: j'ai l'impression — suis-je présomptueux en le pensant? — je vous le dis quand même — qu'Il me tient en laisse. Je me sens très fort par moments — surtout en public, ce qui est important vis-à-vis des autres — et par moments, quand on ne s'en rend pas compte autour de moi, je me sens très faible, impuissant. Dans les moments de faiblesse, lorsque Jésus tire sur la laisse pour me faire comprendre mon néant, je lui dis «Sacré Cœur de Jésus, je me confie à Votre Amour miséricordieux», mais pas toujours avec une confiance absolue. Priez Jésus, chère Mère... pour la grâce de croire, dans la foi totale, qu'il ne m'abandonnera pas. Je suis comme saint Pierre marchant sur l'eau...

J'ai assez parlé de moi. Pour conclure: «Que Sa Volonté soit faite.» Le terme du nouveau poste est de cinq ans; à Jésus de décider pendant combien de temps je pourrai dans la faiblesse Le servir ainsi que mon pays...

Dans une lettre, le 26 août 1960, il disait:

J'essaie de m'abandonner à la Divine Providence. Je sens que c'est dans la faiblesse seule que je peux glorifier Dieu. Souvent la fatigue m'accable.

En lui accordant sa force dans des moments de fatigue et sa lumière lorsqu'il en avait besoin, Dieu lui donnait une véritable preuve de son admirable bonté, et de l'amour de l'Esprit-Saint. Sa faiblesse et ses infirmités aidaient mon père à devenir profondément humble dans ses responsabilités et dans les honneurs qu'il recevait.

Lors de son message radiotélévisé du Nouvel An 1960, il dit à tous les Canadiens:

J'ai une demande à vous faire! Priez Dieu pour qu'Il me donne au cours de l'année prochaine un cœur humble et contrit.

Personne n'était plus conscient que lui de ses propres limites physiques, intellectuelles et spirituelles, à tel point qu'il était toujours très étonné de découvrir que ses déficiences ne l'empêchaient pas d'être un instrument de la grâce de Dieu. Il parlait souvent et avec beaucoup d'admiration des moines et religieux qui, grâce à leur générosité, avaient pu faire de grands actes de foi et de renoncement. Mais il le faisait toujours d'une manière qui laissait entendre que leur comportement était au-delà de ses aptitudes et que lui-même ne serait jamais capable d'imiter leur exemple.

> Je lis pour maman la vie de saint Jean de la Croix, écrit-il à un de nous le 23 septembre 1957. Quel homme! Je ne peux pas l'imiter, n'ayant ni la force ni le courage, mais au moins il me donne un sentiment d'humilité. D'ailleurs, c'est surtout ce bien-là que la lecture des vies des saints nous fait. Que l'on se sent petit, rien, devant eux.

Il souligna le passage suivant dans un des livres du père Boylan, et je suis certain qu'il essaya toujours d'y rester fidèle:

> La véritable humilité s'accompagne toujours d'une confiance totale. L'amour-propre nous incite à voir dans notre perfection apparente comme un droit à l'aide de Dieu et à ses récompenses... L'humilité tire sa confiance de notre pauvreté en esprit, mais aussi de la miséricorde infinie de Dieu; elle s'appuie sur les mérites du Christ, nous faisant comprendre qu'ainsi la grâce ne nous manquera jamais[15].

---

15. *The Spiritual Life of the Priest*, p. 108.

Il ne prenait jamais trop au sérieux les honneurs qu'on lui rendait. On disait de lui avec justesse qu'il les recevait malgré lui; et certainement ils ne le fermaient jamais aux souffrances et aux besoins des autres. Au fond de lui-même, il se considérait comme un serviteur de Dieu, ainsi qu'en témoigne la signature d'une de ses lettres, où il se dit «l'humble serviteur du Christ-Roi».

Le passage du sermon très émouvant que prononça le révérend John Gladstone dans une des églises baptistes de Toronto, le 30 mars 1967, résume si bien cet aspect:

> Nous pouvons dire que sa bonté prenait sa source dans *un humble cheminement avec Dieu*. Voilà quel était en effet le secret de tout ce qu'il était et faisait.
>
> Lorsqu'il prononçait le mot «Dieu», ce n'était jamais un mot d'apparat sans signification, c'était au contraire le signe extérieur d'une conviction intérieure, le langage naturel de celui pour qui l'habitude de la prière était une discipline quotidienne. Son Dieu était vivant et actif, c'était un Dieu qu'on priait et servait, un Dieu à qui un homme doit rendre compte de son service au terme de sa vie. «Mes premiers mots seront une prière»... Voilà comment débuta la courte allocution qu'il fit au moment d'être assermenté au poste de gouverneur général. «Si nous croyons que le Seigneur est notre force, disait-il à un autre moment, alors pourquoi n'agirions-nous pas comme si c'était vrai?» Cette pensée, le général Vanier l'a incarnée dans sa foi et dans

toute sa vie. Il pouvait marcher d'un pas assuré et confiant avec les grands de ce monde, parce qu'il était habitué à marcher partout humblement avec Dieu. Il possédait la force intérieure et la sérénité invincible que Dieu donne toujours à ceux qui le cherchent et qui puisent profondément à ses ressources infinies.

En terminant ces quelques lignes sur son humilité, j'aime à citer une lettre qu'il a écrite, le 20 août 1961, à une religieuse et où il parle de ma mère avec tant de simplicité.

Vous ne pouvez savoir à quel point je compte sur vos prières. Je sens très clairement dans ma faiblesse, qui est grande, que la prière de mes amis me soutient.

Pauline est admirable. Non seulement elle me seconde, elle me dépasse dans l'accomplissement des tâches et des devoirs conjoints qui nous incombent. Elle est la meilleure moitié de l'équipe... En raison de sa vue qui baisse — dont elle souffre — cela demande un grand courage de sa part.

Si vous ne devenez comme de petits enfants, vous ne pourrez entrer dans le royaume des cieux[16].

Si mon père priait comme il le faisait, c'est parce qu'il croyait vraiment au message de l'Évangile. Jésus et son Esprit-Saint étaient pour lui des réalités. Il était convaincu que l'Esprit est

---

16. *Évangile selon saint Matthieu* 18,3.

vivant et qu'il pouvait être uni à Lui. Par nature, il n'était pas du tout attiré par le compliqué ou par les discussions théologiques. Parmi les passages du Nouveau Testament qu'il préférait et qu'il souligna se trouvait celui où le Christ fait remarquer que si nous avons de la foi gros comme un grain de sénevé, nous pouvons déplacer des montagnes[17]:

> Ayez foi en Dieu. En vérité, je vous le dis, si quelqu'un dit à cette montagne «soulève-toi et jette-toi dans la mer», et s'il n'hésite pas dans son cœur, mais croit que ce qu'il dit va arriver, cela lui sera accordé. C'est pourquoi je vous dis: tout ce que vous demandez en priant, croyez que vous l'avez déjà reçu, et cela vous sera accordé[18].

Mon père aimait aussi particulièrement ce passage de l'Évangile où saint Jean parle de l'aveugle de naissance qui fut guéri par Jésus. Les chefs de la synagogue essayaient d'amener l'homme à admettre que le Christ devait être un pécheur. C'est à ce moment que l'homme qui avait été aveugle répliqua avec la plus grande simplicité: «Si c'est un pécheur, je ne sais pas; je ne sais qu'une chose, j'étais aveugle et maintenant je vois[19].» Le bon sens de cette remarque l'avait profondément frappé.

---

17. *Évangile selon saint Matthieu* 17,20.
18. *Évangile selon saint Marc* 11,23-24.
19. *Évangile selon saint Jean* 9,25.

53

Sa foi reflétait cette même simplicité. Avec la foi, il pouvait voir; sans elle, rien n'avait de sens. Il n'est donc guère surprenant qu'il n'ait pas senti le besoin de recourir à des livres compliqués de théologie. Il m'arrivait parfois de lui parler avec une certaine témérité de quelques nouvelles idées théologiques. «Cela est très intéressant, disait-il, avec une lueur d'humour dans les yeux, peut-être devrais-tu en parler à ta mère.» Sa foi était tellement limpide — «diamantine», comme le disait le cardinal Léger[20] — qu'il ne désirait pas l'obscurcir par des réflexions non spirituelles ou par des points complexes de doctrine; elle était tellement profonde qu'aucune contestation et aucun malheur ne parvenaient à l'ébranler. «Nous ne pouvons savoir le pourquoi des souffrances et des calamités, nous disait-il, mais nous savons que Dieu est amour et que donc toutes ces choses se passent pour une raison et qu'en fin de compte, tout sera pour le mieux.»

Il aimait aussi beaucoup le passage de l'Évangile où Jésus dit: «Je te bénis, Père,

---

20. «Ceux qui eurent le privilège de connaître intimement Georges Vanier découvrirent rapidement la place que Dieu occupe dans la vie d'un vrai croyant. Le doute n'effleura jamais son âme et la foi *diamantine* qui guidait toute sa vie fut le mobile de ses actions.» (Le cardinal Léger, homélie à la messe des funérailles dans la Basilique d'Ottawa, le 8 mars 1967).

Seigneur du Ciel et de la terre, d'avoir caché cela aux sages et aux habiles et de l'avoir révélé aux tout petits[21].»

Dans une lettre datée du 6 février 1959 et adressée à une sœur carmélite amie de ma mère, il écrit:

> Quand vous priez pour moi, voulez-vous avoir une intention spéciale, celle-ci: Que la très Sainte Vierge demande à son Fils de me donner un cœur d'enfant. Je sais que c'est beaucoup demander, mais je demande quand même parce que Jésus autrement ne sera pas content de moi et je veux lui faire plaisir. Je suis sûr qu'il exaucera votre prière: vous l'aimez et il ne peut se défendre contre l'amour. Dom Lefebvre[22] dit que Dieu ne s'appartient pas, quelle pensée consolante! Il est à la merci de notre amour, alors montons à l'assaut. D'ailleurs ce désir ardent que j'ai d'avoir un cœur d'enfant ne peut venir que de Jésus, et la petite sainte Thérèse enseigne que si Jésus donne un tel désir, c'est parce qu'il est réalisable[23].

---

21. *Évangile selon saint Luc*, 10,21.
22. Dom Lefebvre, bénédictin qui a publié plusieurs livres spirituels.
23. Voir *Manuscrits autobiographiques*, 1967, p. 240.

4

«Fiat Voluntas Dei»

Dans une note spirituelle datée du 25 février 1959, à Montréal, avant sa nomination en qualité de gouverneur général, à un moment où il paraissait extrêmement fatigué, mon père écrit:

Le matin — très affaissé, souffrant beaucoup. Je n'en peux plus, mon Dieu, mais que Votre Volonté soit faite. Ne demandant ni de souffrir ni de mourir, mais indiquant tout de même une préférence d'union avec Dieu sans trop tarder, exprimant l'espoir que ma volonté serait semblable à la sienne.

Cette note comme le bref mot adressé à l'un de nous juste avant la dernière intervention chirurgicale:

Tout va bien. Fiat Voluntas Dei.

Papa

4 novembre 1966

révèlent son abandon absolu à la volonté de Dieu. Sur un autre petit bout de papier, qu'on a trouvé parmi ses documents personnels après sa mort, étaient inscrites les paroles du Christ sur la Croix: «Père, je remets mon esprit entre tes mains.»

Fiat Voluntas Dei! Que la volonté de Dieu soit faite. C'était la devise qu'il avait choisie pour ses armoiries officielles lorsqu'il devint gouverneur général. C'est ainsi qu'il rendit publique et même officielle cette motivation profonde de sa vie, ce désir de se conformer en tout à la volonté de Dieu. «Fiat» devint le leitmotiv de beaucoup de ses décisions. Quand il parlait à ses médecins, à ses amis ou à sa famille de sa santé et de la possibilité qu'il demeure ou non à son poste au cours des dernières années de sa vie, il répétait: «Attendons encore. Fiat Voluntas Dei. Tout cela est entre ses mains. S'il veut que je reste, Il m'en donnera la force.»

Ce nouveau poste, rien d'officiel encore [écrivait-il le 10 juillet 1959, avant que sa nomination en qualité de gouverneur général fût annoncée], comporte des responsabilités qui seront lourdes. Nous les confions toutes à l'amour miséricordieux du Sacré-Cœur. Tout est entre les mains de Jésus. Que Sa volonté soit faite. Je n'ai pas voulu subordonner mon acceptation à un certificat médical. Mais j'ai dit à Jésus: «Je crois sincèrement qu'il est de mon devoir d'accepter. Vous me donnerez la force nécessaire si vous désirez que j'accomplisse la mission qui m'est confiée. Dans le cas contraire, c'est-à-dire si vous ne voulez pas que j'accepte le poste, vous ne me soutiendrez pas. Quelle que soit votre volonté, je l'accepte d'avance. Ainsi, tout est clair et simple, je n'ai aucune appréhension et je m'en remets au Seigneur.»

Il est évident [écrivait-il quelques semaines après son installation comme gouverneur général, le 16 octobre 1959], de plus en plus évident que Dieu me soutient. Humainement parlant, je ne pourrais pas faire tout ce que je fais en ce moment. Je sens très clairement, nettement que la prière faite à mon installation est exaucée: l'échange de sa force contre ma faiblesse est un fait accompli. Pour combien de temps? Que Sa volonté soit faite. Continue de prier pour moi.

Quant à l'avenir, je m'abandonne à la Divine Providence, écrivait-il le 31 août 1963. Je dis à Jésus: «Si vous voulez vous servir encore de moi, prêtez-moi Votre Cœur — le mien seul ne peut rien — vous pouvez y substituer le Vôtre si vous le voulez, c'est un échange que vous avez consenti à d'autres — si au contraire, vous croyez qu'il est bon que je m'en aille, que Votre Volonté soit faite.» Priez ma Sœur, que je sois sincère avec moi-même quand je parle ainsi. Il est si facile de faire de belles phrases en espérant que la Volonté de Jésus sera semblable à la nôtre. De toute façon, nous verrons avant longtemps quels sont Ses desseins. En effet, nous reprenons le 5 septembre prochain notre pleine activité.

Sur sa table de nuit, il gardait la copie qu'il s'était fait faire d'un passage du livre du père de Caussade, *L'Abandon à la Divine Providence*[24].

Aussi les âmes abandonnées ne se préoccupent-elles aucunement de leurs infirmités, excepté des maladies évidentes qui, par leur nature, obligent de se tenir alité, et de prendre des médicaments convenables. Les langueurs et les impuissances des âmes d'abandon ne sont que des illusions et des apparences, qu'elles doivent braver avec confiance. Dieu les envoie et les permet pour donner de l'exercice à leur foi et à leur abandon, qui est le véritable remède. Sans y faire seulement attention, elles doivent poursuivre généreusement leur chemin, dans les actions et les souffrances de l'ordre de Dieu, se servant sans hésiter de leur corps, comme on fait des chevaux de travail qui ne sont que pour périr, en servant. Cela vaut mieux que toutes les délicatesses qui nuisent à la vigueur de l'esprit. Cette force de l'esprit a je ne sais quelle vertu pour maintenir un corps faible, et une année de cette vie noble et généreuse vaut mieux qu'un siècle de soins et de crainte.

Avec sa vieillesse et ses infirmités, il avait une tendance naturelle à s'inquiéter de sa santé. Il prenait souvent son pouls, et suivait méticuleusement les ordonnances de ses médecins. Et pourtant il parlait si souvent de l'abandon à Dieu. Est-ce là une contradiction? ou plutôt une

---

24. Paris, Gabalda et Cie, 1934, vol. I, p. 132.

lutte contre une tendance vers l'inquiétude? Son abandon n'était donc pas un laisser-aller sur le plan médical. Il faisait tout ce qu'il pouvait pour conserver sa santé afin de mieux servir. Mais il ne s'inquiétait pas des problèmes concernant son avenir. Il laissait tout entre les mains de Dieu.

Cette confiance en l'aide divine et ce désir de rendre sa volonté conforme à celle de Dieu semblaient parfois compliquer l'existence. Par tempérament, il avait tendance à remettre les choses au lendemain et à différer une décision lorsqu'il le pouvait: à chaque jour suffit sa peine. Sa vie spirituelle et sa confiance en Dieu accentuaient ce trait naturel. Souvent, il lui arrivait de refuser de prendre une décision ou d'hésiter à faire quelque chose qui nous paraissait comporter peu de risques.

L'année prochaine [écrivait-il le 15 décembre 1958, lorsqu'il habitait avec ma mère un petit appartement à Montréal], il nous faudrait peut-être reconsidérer la question du lieu où nous vivrons. Cependant, je ne pense pas à cela maintenant. Je laisse tout entre les mains de Notre-Seigneur et je le Lui dis. Il y aura des signes, très probablement, qui nous guideront au moment voulu pour prendre une décision.

Nous pouvons tous nous rappeler aussi combien il lui était difficile de prendre une décision sur une question aussi élémentaire que celle des vacances d'été de la famille. Son hésitation persistait au point qu'il était parfois difficile de trouver des chambres là où nous aurions voulu passer l'été. Et pourtant, à la fin, tout semblait s'arranger.

Ces moments d'hésitation injustifiée nous empêchaient parfois de voir la sagesse qui l'inspirait à d'autres moments. Il est vrai qu'il se méfiait à l'extrême de toute erreur de jugement de sa part, mais sa première intention, semble-t-il, était de chercher à connaître la volonté de Dieu avant de prendre une décision quelconque. Il croyait que Dieu manifesterait sa volonté par des signes extérieurs et des indications providentielles, si seulement on savait attendre. Et combien de fois cette attente se révéla d'une grande sagesse!

Si son abandon à la Divine Providence l'incitait parfois à cette attitude d'attente, le sentiment profond qu'il avait du devoir lui donnait une certaine audace. Tous les événements de sa vie, par exemple sa guérison après de très grandes blessures de guerre en 1917, ses multiples carrières, lui faisaient croire qu'il était guidé. Le poste de gouverneur général lui apparaissait comme le point culminant d'une longue carrière. Fréquemment, se rappelant que ses stages d'aide de camp entre 1925 et 1928 auprès de Lord Byng d'abord, puis de Lord Willingdon, tous les deux gouverneurs généraux du Canada, avaient contribué à le préparer pour son propre mandat, il disait avec un certain étonnement: «On dirait vraiment que tout cela a été prévu.» Ses années passées dans l'armée puis comme diplomate, à Londres et à Paris, furent les étapes successives qui le conduisirent à ce poste ultime pour lequel il se sentait avoir été préparé. Dès lors, plus que jamais auparavant, il se sentait capable d'être un instrument de la Divine Providence et son seul désir était de correspondre à la grâce et de remplir la mission qui lui était confiée.

5

«L'effort»

L'effort, l'effort, encore l'effort, de tous les jours, de toutes les heures, de chaque instant. J'ose dire — mais ne donnez pas un sens littéral à cette pensée — que j'aime presque mieux l'effort sans succès que le succès sans effort.

Ces remarques faites par mon père au collège Jean-de-Brébeuf de Montréal, le 1ᵉʳ novembre 1960, ressemblent aux paroles de Charles de Foucauld qu'il avait soulignées.

En effet, si les efforts qu'on fait pour le salut des âmes restent sans succès pour celles-ci, ils n'en sont que plus heureux pour celui qui les fait, car l'insuccès le rend plus semblable à Jésus si peu écouté, si peu suivi, si méprisé, si dédaigné, si raillé durant sa vie[25].

---

25. *Itinéraire spirituel de Charles de Foucauld*, p. 343.

Lorsque mon père parlait de son sentiment de faiblesse, que de fois il disait à l'un de nous: «Vraiment, je me sens sans force, je ne vaux rien du tout.» Il ne s'agissait pas d'une exagération pieuse, mais d'une réalité constante quasi physique. Il était appelé lui-même à faire un effort continuel. Les notes spirituelles que nous publions peuvent peut-être donner l'impression que sa vie intérieure et spirituelle était spontanée et facile. S'il prenait ainsi note de grâces spéciales de paix et d'amour, n'était-ce pas que celles-ci semblaient exceptionnelles dans sa vie qui se trouvait normalement sous le signe de l'effort et de la foi?

Il est sûr que dans l'ordre de la foi, il eut à faire preuve d'un courage et d'une persévérance extraordinaires pour surmonter les difficultés et les épreuves. Il semble qu'il accepta ces luttes avec une grande simplicité se disant que même s'il n'en comprenait pas les raisons, il devait les supporter parce qu'il en était ainsi. Au cours des dernières semaines de sa vie, il lui arrivait de parler avec ma mère de la foi et de sa signification. N'était-ce pas pour cette raison qu'il aimait lire et relire Thérèse de Lisieux — elle qui avait eu tant d'épreuves au sujet de la foi? Il puisait dans ses écrits l'inspiration et l'encouragement dont il avait besoin.

Mais c'était sur le plan physique que ses

efforts étaient le plus en évidence. L'amputation de toute sa jambe droite, à la suite de blessures de guerre, lui causait fréquemment des douleurs et presque continuellement des malaises. Surtout pendant les dernières années de sa vie, le seul fait de marcher de courtes distances, ou de se tenir debout, menait jusqu'à l'épuisement le peu de forces qui lui restaient. Au cours de ses dernières semaines, tous ceux qui étaient à la Résidence remarquaient les efforts héroïques qu'il faisait pour se conformer aux ordres des médecins qui l'incitaient à certains efforts physiques afin d'activer son rétablissement après une intervention chirurgicale. Il espérait tellement pouvoir continuer à servir son pays durant l'année du Centenaire, car il sentait qu'on avait besoin de lui justement à cause de son ascendance française. Mais l'effort fut trop grand.

Toute sa vie, il s'est montré un homme doué d'un courage exceptionnel. Le courage qu'il a manifesté sur le champ de bataille et qui lui a valu tant de décorations se traduisait dans la vie quotidienne par l'acceptation de ses faiblesses, par les efforts qu'il faisait pour rester fidèle à son devoir, et toujours maître de lui-même. Dans une lettre de condoléances, une mère de quatre enfants, aveugle et amputée d'une jambe, nous disait que son courage fut pour elle «un phare dans son adversité».

Et pourtant il nous disait fréquemment qu'il devait prendre garde de ne pas tomber dans ce qu'il appelait «les travers de la vieillesse», soit l'habitude constante de se plaindre et d'être de mauvaise humeur.

> Si jamais, [nous disait-il], vous me surprenez à me lamenter sur mes malaises, vous devez me faire penser immédiatement à ce que je fais et je m'arrêterai tout de suite.

Nous n'avons jamais eu besoin de le lui rappeler, car nous ne l'avons jamais entendu se plaindre. Certainement, personne ne peut l'accuser d'avoir souffert des «travers de la vieillesse». Au contraire, il gardait un cœur gai et jeune, et même si parfois il s'emportait, personne ne peut dire qu'il avait tendance à être de mauvaise humeur.

Il faisait preuve d'une étonnante maîtrise de lui-même, ce qui exigeait encore un grand effort de sa part. À bien des égards, il était exposé, par tempérament, à se fâcher et à s'exaspérer facilement, mais il permettait très rarement à des réactions de ce genre de s'extérioriser. Et lorsqu'en de rares occasions il manifestait seulement un geste d'impatience, il s'en excusait profondément et sincèrement par la suite.

Quelque temps avant sa mort, il accepta qu'une équipe de télévision vienne faire des prises de vue à la Résidence. C'est ainsi qu'un matin, le réalisateur arriva à Ottawa et demanda à quel moment il pourrait venir. Étant donné qu'on attendait dans l'après-midi le Premier ministre M. Pearson, il fut convenu que l'équipe pourrait filmer mon père en train de le recevoir. Pensant qu'une telle prise de vue n'impliquait qu'une ou deux personnes, peu de matériel et des caméras portatives, il n'était pas préparé à trouver son bureau sens dessus dessous, les meubles entassés dans un coin, rempli d'énormes caméras, de lampes et de toutes sortes d'accessoires, lorsqu'il descendit pour recevoir le Premier ministre. Il fut alors très mécontent et donna l'ordre de tout débarrasser. Consternés, les membres de l'équipe ramassèrent leur matériel sans plus tarder. Monsieur Esmond Butler, chef de cabinet de mon père, vint le trouver pour savoir ce qu'on devait faire. Il était alors visible qu'il regrettait de s'être laissé emporter. Après un bref entretien, il fut entendu que l'équipe pourrait réinstaller son attirail. Quand mon père revint un peu plus tard pour accueillir le Premier ministre, il commença par se moquer de la réaction qu'il avait eue. Il accorda tout le temps voulu pour les photographies et s'empressa ensuite de serrer la main à chacun des membres de l'équipe et de s'excuser sincèrement auprès du réalisateur.

Heureusement, cette maîtrise de lui-même

ne le rendait pas froid et imperturbable, et ne lui enlevait pas toute spontanéité. Son sens de l'humour, son sens du ridicule et sa vivacité naturelle l'empêchaient de paraître stoïque. Il savait reconter des anecdotes dont on ne pouvait s'empêcher de rire et il avait toujours un bon mot, un mot drôle. Souvent, il les racontait avec un air très sérieux, ce qui ne faisait qu'ajouter au ridicule de l'histoire.

Il racontait de temps en temps que, le matin, il aimait avoir ses petits enfants sur son lit et qu'il leur permettait de jouer avec des lames de rasoir. Il le disait avec un tel sérieux qu'on aurait vraiment pu s'en inquiéter!

Il savait même rire de la cause de tant de ses fatigues: la perte de sa jambe.

À un ami qui s'était inquiété de son âge lorsqu'il fut nommé au poste de gouverneur général et qui lui avait dit: «Mais vous avez un pied dans la tombe», il avait répondu: «Oui, mais il y est déjà depuis 42 ans.»

Au lieu d'en faire une chose dramatique pour attirer la sympathie, il aimait faire des blagues au sujet de sa jambe articulée. Lorsque nous étions enfants, il nous mettait sur ses genoux et nous donnait une épingle en disant: «Maintenant, tu vas voir, je suis stoïque.» Avec l'épingle, il nous disait de percer sa jambe. Quelquefois aussi, en se promenant avec nous, il frappait sa jambe avec sa canne, disant: «Vous voyez comme j'ai la jambe dure.» Dans un discours qu'il prononça au 28ᵉ Congrès fédéral des amputés de guerre du Canada, le 16 octobre 1961, il révéla d'une façon amusante les leçons de l'histoire:

Vous serez peut-être intéressés de savoir que j'ai lu récemment un livre intitulé *One Leg* (je ne puis malheureusement prétendre en être l'auteur). Cet ouvrage traite de la vie de Lord Anglesey, un maréchal qui commandait la cavalerie à la fameuse bataille de Waterloo où il eut la malchance de voir l'un des derniers coups de feu lui emporter une jambe. Je devrais peut-être dire «la chance» parce que, trois semaines après avoir perdu sa jambe, Lord Uxbridge — c'était son nom alors —, fut nommé marquis par le Prince régent. Je ne suis pas convaincu que ce dernier l'aurait fait si Lord Uxbridge n'avait pas perdu une jambe. Je ne suis pas non plus convaincu que je serais ici si je n'avais pas perdu la mienne.

Mon père aimait raconter comment, malgré le fait qu'il était unijambiste, il avait demandé d'être affecté à un régiment de l'active. La façon dont il tournait l'histoire montre bien comment il traitait son infirmité à la légère:

Comme avocat, ma vie était trop sédentaire et je maigrissais à vue d'œil. Lorsque le Royal 22ᵉ Régiment se reformait, je décidai de redevenir officier de carrière. Je me rendis donc à Ottawa pour voir Sir Arthur Currie, inspecteur général des Forces armées (un poste qui n'existe plus — je précise, au

71

cas où l'absence d'un tel personnage aujourd'hui vous fasse douter de la vérité du reste!) et je lui dis — non, plutôt je lui demandai — s'il pouvait me trouver une place au Régiment. Il se mit à rire — gentiment — mais il riait. Il me dit: «Vous avez perdu une jambe.» Je répondis: «Je le sais, mais n'auriez-vous pas autant besoin d'hommes de tête que d'hommes à deux jambes?» Ce qui l'impressionna surtout, je pense, fut ma grande modestie!

Je le quittai sans grand espoir. Nous avions ri tous les deux sachant (du moins c'était mon impression) que la chose était impossible: mais trois semaines plus tard je me trouvai commandant en second du régiment.

Mon père souligna le passage suivant de l'Épître de saint Paul aux Hébreux:

Mon fils, ne méprise pas la correction du Seigneur, et ne te décourage pas quand il te reprend. Car celui qu'aime le Seigneur, Il le corrige [...] C'est pour votre correction que vous souffrez. C'est en fils que Dieu vous traite [...] Certes, toute correction ne paraît pas, sur le moment, être sujet de joie, mais de tristesse. Plus tard, cependant, elle rapporte à ceux qu'elle a exercés un fruit de paix et de justice[26].

Ces paroles, et peut-être plus encore le passage suivant, semblaient revêtir pour lui une signification toute spéciale:

C'est pourquoi redressez vos mains inertes et vos genoux fléchissants, et rendez droits pour vos pas les

---

26. *Épître aux Hébreux* 12,5-7 et 11.

sentiers tortueux, afin que le boiteux ne dévie pas mais plutôt qu'il guérisse[27].

Citons également certains passages analogues que mon père a soulignés dans l'*Évangile de saint Matthieu*: «Qui ne prend pas sa croix [...] n'est pas digne de moi[28]», «Mon joug est aisé, et mon fardeau léger[29]».

Nous ignorons s'il était tenté de comparer son propre état physique à celui de saint Paul: «Il m'a été mis une écharde en la chair[30]», mais il est sûr que son infirmité intensifiait sa foi plutôt qu'elle ne la diminuait.

---

27. Saint Paul, *Épître aux Hébreux* 12,13.
28. *Évangile selon saint Matthieu* 10,38.
29. *Évangile selon saint Matthieu* 11,30.
30. Saint Paul, *2ᵉ Épître aux Corinthiens* 12,7.

Blason personnel du gouverneur général
et sa devise «Que la volonté de Dieu soit faite».

En compagnie de sa fille Thérèse, à Vezelay,
en France, en 1959.

En prière dans la basilique de Québec.

Mme Vanier, le pape Jean XXIII, le général Vanier et l'auteur.

Le gouverneur général visite le Carmel de Montréal, en 1962.

L'installation comme gouverneur général du Canada,
Ottawa, 15 septembre 1959. Derrière M. Vanier, à sa droite,
M. John G. Diefenbaker, premier ministre du Canada.

La lecture du Discours du Trône, Ottawa, 5 avril 1965.
Assis à la droite du gouverneur général, M. Lester B. Pearson,
premier ministre du Canada.

Les Vanier et leurs petits-enfants, à la résidence
du gouverneur général, à Ottawa. M. et Mme Vanier ont
utilisé cette photographie comme carte de Noël en 1966.

Avec Sa Majesté la Reine à l'inauguration
du monument commémoratif du Royal 22ᵉ Régiment
en la Citadelle de Québec, 10 octobre 1964.

La chapelle dans la résidence du gouverneur général
au temps de M. Vanier.

Acte d'offrande

[note manuscrite en haut : 6e fois Ottawa Residence 22 janvier 1967]

propre *Justice*, et recevoir de votre *Amour* la possession
éternelle de *Vous-même*. Je ne veux point d'autre *Trône*
et d'autre *Couronne* que *Vous*, ô mon *Bien Aimé* !...

À vos yeux le temps n'est rien, un seul jour est comme
mille ans, vous pouvez donc en un instant me préparer
à paraître devant vous...

Afin de vivre dans un acte de parfait Amour, JE
M'OFFRE COMME VICTIME D'HOLOCAUSTE À VOTRE
AMOUR MISÉRICORDIEUX, vous suppliant de
me consumer sans cesse, laissant déborder en mon âme,
les flots de *tendresse infinie* qui sont renfermés en vous,
et qu'ainsi je devienne *Martyre* de votre *Amour*, ô
mon Dieu !...

Que ce *Martyre* après m'avoir préparée à paraître
devant vous me fasse enfin mourir et que mon âme
s'élance sans retard dans l'éternel embrassement de
Votre Miséricordieux Amour...

Je veux, ô mon *Bien Aimé*, à chaque battement de
mon cœur vous renouveler cette offrande un nombre
infini de fois jusqu'à ce que les ombres s'étant évanouies,
je puisse vous redire mon *Amour* dans un *Face à Face*
Éternel !...

Marie, Françoise, Thérèse de l'Enfant-Jésus
et de la Sainte Face rel. carm. ind.

Fête de la Très Sainte Trinité.
Le 9 Juin de l'an de grâce 1895 [1].

1. Il existe dans les Archives du Carmel de Lisieux une première
version de cet Acte d'Offrande, rédigée de la main de Sainte Thérèse
de l'Enfant-Jésus. Ce texte a été reproduit en fac-similé dans la grande
édition des *Manuscrits Autobiographiques*. Il comporte quelques légères
divergences avec la version définitive que nous donnons ici. Celle-ci
a été rédigée par Thérèse pour Mère Agnès de Jésus, largement diffu-
sée dans la suite et approuvée par l'Église.

[notes manuscrites marginales : Achevé de lire une 4e fois 5 déc. 1963 ; Achevé de lire dans un wagon de C.d.F. le 24 octobre 1961 ; Achevé de lire le 15 fév. 1963 également dans un wagon de G.G. ; une troisième fois 8 mai 1963 à Rideau Hall.]

Un page de l'exemplaire de l'autobiographie
de sainte Thérèse et les notes marginales du gouverneur général.
La notation en haut de page indique que M. Vanier a fini de relire
le volume pour la sixième fois le 22 janvier 1967, tout juste
quelques semaines avant sa mort.

Le lit de parade dans la salle de bal de la résidence
du gouverneur général, Ottawa, mars 1967.

6

«Voici ta mère[31]*»*

Mon père avait un grand respect et une affection profonde pour ceux qu'il croyait près de Dieu. Comme nous l'avons déjà fait remarquer, cette profonde admiration émanait de sa propre humilité. Il se sentait lui-même incapable de suivre leur exemple. Il admirait en eux ce que, semble-t-il, il aurait aimé faire lui-même et, dans ses contacts avec eux, il voyait dans une certaine mesure une influence de Dieu sur lui-même.

La tradition religieuse, depuis les prophètes Osée, Isaïe et Ézéchiel, a toujours affirmé que Dieu désire établir avec l'homme des relations qui sont comparables à celles qui existent dans

---

31. *Évangile selon saint Jean* 19,27.

l'état du mariage. C'est le prophète Isaïe qui annonça: «[...] ton époux, ce sera ton Créateur[32]».

La tradition mystique chrétienne, dont quelques-uns des plus grands interprètes sont saint Bernard, sainte Thérèse d'Avila et saint Jean de la Croix, voyait dans le livre de la Bible, le *Cantique des Cantiques*, l'image authentique de l'amour qui unit les âmes à Dieu. Voilà pourquoi celles qui se sont consacrées entièrement à Jésus, dans leur désir de Le suivre Lui seul, ont toujours été connues sous le nom d'épouses du Christ. Cela nous aide à comprendre le sens d'un extrait comme celui-ci qui est tiré d'une lettre que mon père écrivit à une sœur carmélite, le 24 janvier 1961:

> Votre lettre m'a vivement touché, jusqu'aux larmes, je l'avoue... Voyez-vous, j'ai un tel amour pour les épouses de Jésus que je ne peux m'approcher d'elles, même par la pensée, sans éprouver une grâce ineffable. Et quand le cœur s'en mêle — celui de Jésus, les vôtres et le mien ensemble —, c'est une bénédiction qui m'est presque un signe de prédilection divine. Que Dieu... [vous] rende au centuple le bien que... vous m'avez fait...

C'est ici que nous trouvons le secret de son amour pour la très Sainte Vierge Marie. Sa foi profonde l'amenait à croire qu'il était possible

---

32. *Isaïe* 54,5.

d'entrer en communion avec ceux qui sont déjà en Dieu et avec Dieu dans le royaume des Cieux. Tout comme il sentait l'influence d'une grâce divine au contact de certaines âmes qu'il estimait près de Dieu, ainsi il ressentait une grâce en s'approchant avec amour et foi de la Mère de Dieu. N'était-ce pas Elle qui, plus que quiconque, avait vécu près de Jésus? Lorsque la plupart des Apôtres avaient pris la fuite, n'était-elle pas restée debout, au pied de la Croix?

Mon père sentait qu'en s'approchant filialement de Marie il serait sanctifié, qu'Elle lui ferait du bien, qu'Elle l'aiderait à aimer Jésus et à devenir humble, avec un cœur d'enfant.

Dans une note spirituelle datée du 29 janvier 1953, mon père écrit ces lignes qui montrent bien cette confiance qu'il avait dans la Mère du Christ:

Ce matin, à la chapelle de la rue Cortambert, j'avais de la difficulté à prier. Même après avoir fait appel plusieurs fois et avec ferveur à l'amour du Christ, je ne percevais aucun signe de la réponse du Bien-Aimé. Je me tournai alors vers Notre-Dame, et je lui demandai quelque chose comme ceci:

«Je vous prie de demander à Votre Fils de m'accorder la grâce de l'aimer de plus en plus. Rappelez-Lui qu'Il a dit à Marguerite-Marie: "J'ai soif, je brûle du désir d'être aimé." Eh bien, je suis ici, je suis un pécheur, mais je ne veux que L'aimer, mais pas seulement le désir, je veux brûler d'amour pour lui.»

J'avais dit tout ceci seulement quelques instants avant la fin de la demi-heure qui avait été très aride. Soudainement, j'ai senti une touche divine qui a réchauffé tout mon être et qui m'a incité à des sentiments de profonde reconnaissance et d'amour pour le Bien-Aimé et Sa Mère.

Il se rendait fréquemment à Lourdes, un centre de pèlerinage consacré à la Vierge Marie. Depuis longtemps, le livre d'Alexis Carrel, *Voyage à Lourdes*, l'avait profondément impressionné. Il en avait acheté de multiples exemplaires qu'il avait distribués à ses amis. Chaque fois qu'il se trouvait dans le sud de la France, il allait à Lourdes et je me rappelle l'avoir accompagné au moins une fois lors d'un pèlerinage qu'il fit spécialement de Paris.

Il n'allait d'ailleurs jamais à Lourdes sans faire un acte de foi en se lavant dans l'eau glacée où tant de malades l'avaient précédé depuis les apparitions de Notre-Dame en 1858, à Bernadette; lui qui fréquentait les grands de ce monde estimait que c'était une grâce de se baigner dans cette eau, à la suite des pauvres, des infirmes et des malades.

La lettre suivante, écrite le 20 août 1961, nous donne une idée de l'impression que lui faisait Lourdes.

J'ai cru que je ne pourrais trouver pour me faire pardonner [car il était en retard pour répondre] un

90

lieu plus favorable que Lourdes où je prie la très Sainte Vierge de vous ouvrir les bras et de vous y laisser reposer. Marie est ma Mère, une Mère qui fut toujours très bonne pour moi. Aussi je Lui demande de vous protéger.

Je ne connais rien de plus émouvant que la foi de ces malades — dont peu sont guéris humainement et physiquement — qui repartent tous avec la même foi, le sourire aux lèvres, le même désir de revenir. Ils sont tous touchés profondément, sont marqués du sceau de la grâce, et demeurent la meilleure réponse à ceux qui ne comprennent pas la valeur spirituelle de la souffrance et se révoltent contre elle.

Ma visite à Lourdes est un acte de foi, en reconnaissance de l'aide surnaturelle qui me fut accordée depuis que j'occupe le poste de gouverneur général.

La promesse de vos prières me touche beaucoup. J'en ai besoin, j'ai la certitude que, abandonné à ma faiblesse qui est grande, je ne pourrais remplir ma mission. Je compte sur les moniales du Carmel pour me soutenir, et demande à la très Sainte Vierge de les en remercier pour moi en les comblant de grâces.

Il s'exprime en termes analogues dans une lettre envoyée le 23 août 1958:

Je prie spécialement la Vierge Marie notre mère de vous garder. Elle demandera à Jésus de vous garder dans son cœur et là de vous donner protection, force et grâce.

Ne craignez rien, Il vous soutiendra — *croyez simplement qu'Il le fera*, tout ce qui est nécessaire, c'est d'avoir la *foi*, — c'est cela Lourdes, c'est son grand miracle. Des centaines de milliers de personnes viennent chaque année sans être guéries (du moins physiquement) mais quittent Lourdes dans la paix et la sérénité pour revenir chez elles sans même le moindre signe de désappointement apparent. Chacune d'elles est un miracle spirituel. S'il y avait davantage de miracles visibles, il y aurait moins de foi. Comme le dit saint Jean de la Croix, nous devons vivre dans la foi. C'est là le chemin de la sainteté.

C'est sa confiance dans la protection de la Vierge Marie qui l'incita à faire apposer un petit arbre sur la partie supérieure de ses armoiries officielles. On lui demandait souvent qu'elle était l'explication de ce petit chêne vert. Il expliquait alors ce que voulait dire le clocher de Honfleur qu'on trouvait également sur les armoiries: c'était le port d'où ses ancêtres étaient partis pour le Canada. La Citadelle de Québec à laquelle il était si profondément attaché y était aussi représentée. Mais en ce qui concernait le petit chêne vert, il gardait le silence. C'était pour lui le symbole de Fatima, un important centre de pèlerinage où la Vierge, se tenant au-dessus d'un petit chêne vert, est apparue en 1917 à trois petits enfants. C'est ainsi que sur ses armoiries officielles notre père avait inscrit son amour pour la Vierge et son abandon à Dieu: «Fiat Voluntas Dei».

Chaque année, conscient de l'ampleur et de la portée de ses responsabilités vis-à-vis de Dieu et de son pays, il aimait prier Dieu d'une façon spéciale pour le Canada et les Canadiens, et les placer sous sa protection. Cette prière qu'il avait fait composer et dont nous citons quelques extraits, il l'adressait à Notre-Dame, qu'il savait près de Dieu, pour qu'elle demande au Seigneur de l'exaucer.

Ô ma Souveraine, conduisez tous les Canadiens vers cet unique bonheur qui est de voir et d'aimer durant toute l'éternité votre Fils Jésus, le Verbe Incarné, dans son union substantielle au Père et à l'Esprit-Saint... Gardez-nous dans la véritable paix qui vient de la juste ordination des âmes à Dieu et entre elles. Allumez dans les cœurs... la flamme de la divine charité. Faites croître en eux les liens de l'amour fraternel...

Conduisez-les tous vers l'unique vérité, écartez-les de toute erreur et préservez-les spécialement du matérialisme qui plonge les intelligences dans les ténèbres et qui obscurcit la loi naturelle, reflet de la loi éternelle et divine...

Ô Marie, veillez sur tous les Canadiens... quels que soient leurs péchés, leur religion et leur race... Unissez-les tous davantage au Cœur de votre Fils, notre Frère. Secourez ceux qui souffrent moralement et physiquement. Montrez vos bontés maternelles aux humiliés, aux prisonniers et aux pauvres. Préservez et consolidez nos familles canadiennes, berceaux de la religion et de la vie morale. Protégez surtout notre jeunesse qui s'élève dans un monde en désarroi et qui a besoin de votre secours de Mère pour résister aux nombreuses et séduisantes tentations qui l'entourent.

7

*«Bien-aimés, aimons-nous les uns
les autres, puisque l'amour est de Dieu
et que quiconque aime est né de Dieu
et connaît Dieu* [33] *»*

Il n'est pas toujours facile pour des enfants de
parler de l'amour de leur père en citant les
exemples qui rendraient leurs paroles vivantes.
Il y aurait trop de choses à dire sur ses multiples
délicatesses par rapport à ma mère et à chacun
de nous, et nous entrerions dans un domaine
qui est presque trop privé et qui ne se livre pas
au public... Ou bien on ne cite que des exemples banals, non pas ceux qui restent gravés dans
nos cœurs. C'est pour cela que dans les quelques

---

33.   *1ʳᵉ Épître de saint Jean* 4,7.

pages qui suivent je vais profiter d'un certain nombre de témoignages qui ont été exprimés au moment de sa mort et qui peuvent faire saisir un peu son rayonnement de bonté.

Nous étions spécialement touchés par ce témoignage de Catherine Doherty qui exprime peut-être ce que beaucoup sentaient: à Rideau Hall, ils avaient perdu un ami.

> Pendant tout le temps qu'il habitait Rideau Hall, il était pour moi un réconfort comme il l'était, j'en suis sûre, pour beaucoup d'autres. Je ne me sentais pas seule quand il était là. Je savais aussi, d'une façon mystérieuse, que si j'avais besoin de lui pour moi-même ou pour d'autres, il me ferait le don le plus précieux qu'une personne puisse faire à une autre, le don de son attention, d'écouter, et d'être véritablement disponible aux besoins d'une autre personne. Je savais aussi que même s'il ne pouvait pas résoudre mon problème particulier, quel qu'il fût, je serais réconfortée après le lui avoir exposé. C'était toute sa personne, son comportement, sa profonde délicatesse, en un mot, son amour de Dieu et des hommes, qui m'apportaient cette consolation[34].

Beaucoup d'autres ont peut-être ressenti ce que disait Hugh Kemp sur les ondes de Radio-Canada:

_____

34. *Restoration*, Combermere, Ontario, avril 1967.

Il nous a aimés ouvertement
et nous l'aimions de retour
et cela seul nous a donné une chaleur
qui demeurera pour encore un siècle.
Il nous a inspiré
d'aimer nous-mêmes sans honte.
Que Dieu veuille
que ce soit aussi non seulement
dans ces jours de deuil
mais pour toujours.

L'archidiacre anglican de Québec, le révérend Guy Marsten, disait lors des obsèques à la basilique de Québec:

Pour ce qui est de l'amour, la plus grande de toutes les vertus chrétiennes, le gouverneur général Vanier n'en était pas dépourvu. Sa vie était fondée sur l'amour. Il aimait sa famille et en prenait soin. Nous, Canadiens, le savions. Il aimait son Église et était à son service. Nous Canadiens, avons pu le constater. Il a aimé et servi son pays jusqu'au bout. Il nous a aimés tous et particulièrement nos enfants. Nous le savions et c'est pourquoi nous l'aimions. Et si tout cela était devenu possible, c'est qu'il aimait Dieu par-dessus tout et que l'amour marquait et animait tout son comportement.

Je crois qu'il serait juste de dire que mon père, en assumant la fonction de gouverneur général, a subi une véritable transformation. Durant les années à Paris où il fut ambassadeur, sa vie spirituelle a commencé à s'approfondir. Ses notes spirituelles semblent révéler des expériences de prière et d'union à Dieu réelles et profondes, mais peut-on dire que sa vie professionnelle était imprégnée de l'esprit de l'Évangile? On disait parfois — je ne sais si c'est vrai — qu'il régissait l'ambassade d'une façon un peu militaire! Puis à Montréal, en retraite de 1954 jusqu'en 1959, il vivait dans son appartement rue Sherbrooke sans avoir beaucoup d'intérêts en dehors de sa vie familiale et de sa vie spirituelle; il se montrait souvent inquiet de sa santé et il souffrait beaucoup de l'inactivité. En devenant gouverneur général, il s'était ouvert et semble avoir assumé un rôle presque paternel. Il aimait tous les Canadiens, sans distinction de race, de religion ou de pensée philosophique. Il s'intéressait à tous et à toutes leurs activités. Il accueillait chaque lettre qui lui demandait d'intervenir pour une personne souffrante ou lésée avec une très grande bienveillance et c'était rare quand il n'agissait pas. On ne pouvait dire d'aucune manière qu'il agissait dans sa vie professionnelle d'une façon militaire. Au contraire, à Rideau Hall il a su créer avec ma mère un climat familial, de confiance, de joie, de simplicité et de grande bonté.

Dans ses rapports avec autrui il semble avoir trouvé à la fin de sa vie un équilibre merveilleux entre sa vie spirituelle, des capacités de don simple et rayonnant, et son sens du devoir.

Jeune, il s'est montré vertueux, courageux et possédant un sens aigu de la justice; plus tard, il a découvert la vie intérieure et spirituelle et il est devenu un homme de prière. Finalement à Rideau Hall, cette vie intérieure, basée et fondée sur un sens de justice, s'est épanouie dans cet amour simple et délicat pour tous. Il avait souligné dans un écrit de Charles de Foucauld[35] quelques passages où celui-ci dit vouloir être «le frère universel», le frère de tous les hommes. Mon père n'aspirait-il pas, lui aussi, à cela?

Sans aucun doute et cela depuis de très longues années, il avait une prédilection pour les enfants et les personnes les plus humbles et les plus souffrantes. Nous pouvons tous nous rappeler de multiples exemples où il cherchait à faire plaisir à des personnes envers qui il sentait une certaine responsabilité. Pendant de nombreuses années il a entouré d'affection la fille, depuis longtemps très malade, d'un de ses anciens professeurs. En arrivant à la légation du Canada à Paris avant la guerre, mes parents ont

---

35. Ermite français qui est mort en 1917, homme d'action qui par la suite est devenu homme de prière. Mon père avait souligné dans le livre *Itinéraire spirituel de Charles de Foucauld* par Jean François Six, le passage suivant qui est une citation de Charles de Foucauld (p. 274): «Priez Dieu pour que je sois vraiment le frère de toutes les âmes de ce pays. Je veux habiter tous les habitants, chrétiens, musulmans, juifs et idolâtres, à me regarder comme leur frère, le frère universel.»

constaté qu'une sténographe, assez âgée, souffrait du cancer. Mon père allait régulièrement la visiter à l'hôpital, lui apportant des fleurs et des fruits. Durant son séjour à Paris comme ambassadeur il allait assez souvent à Chantilly visiter le père Gaume, jésuite, un de ses anciens professeurs de Montréal qui était devenu très âgé et infirme, afin de lui apporter quelques douceurs et de passer un peu de temps avec lui. Dès qu'un de ses amis ou quelqu'un à son service tombait malade, il cherchait à leur faire plaisir par des gestes délicats et bons. Après avoir quitté son poste d'ambassadeur en France, il eut maintes fois l'occasion de revenir à Paris. Chaque fois, il dressait une liste des personnes qu'il souhaitait voir. On aurait peut-être été surpris de constater que les deux premiers noms sur la liste étaient ceux de son ancien chauffeur et d'un hindou qui fut son masseur pendant de nombreuses années.

Il n'avait pas bonne mémoire des noms, mais faisait confiance à l'extraordinaire aptitude de ma mère pour les lui rappeler. Il se souvenait par contre des personnes et des événements. Lorsqu'il rencontrait quelqu'un et qu'il omettait de lui parler d'un parent ou d'un incident dont il aurait dû se souvenir, il était très mécontent de lui-même. Il avait surtout très peur d'avoir fait de la peine. Il se donnait alors beaucoup de mal pour réparer cet oubli. Quelquefois nous l'accusions d'exagération et nous nous efforcions de lui faire oublier l'incident. Toutefois, à sa demande, nous lui trouvions le numéro de téléphone en question ou tapions à la machine la lettre de réparation.

Il donnait toujours avec une largesse extraordinaire (donnant souvent aussi quand il ne restait plus grand-chose à la banque mais les directeurs de celle-ci lui faisaient confiance!). Le nombre de ceux qu'il aidait d'une façon régulière est impressionnant... des personnes dans le besoin, des communautés religieuses aux Indes, des pauvres de toutes sortes. Parfois, nous, ses enfants, dans notre témérité et devant son désir parfois presque scrupuleux d'aider quelqu'un qui lui demandait de l'argent, nous lui disions que la personne ne semblait pas un cas vraiment digne d'intérêt; il répondait avec un air désapprobateur: «Il se peut que vous ayez raison mais je préfère l'abus que de manquer d'en donner à quelqu'un qui en a besoin.»

Et on pourrait dire tant de choses sur son amour des enfants, spécialement à la fin de sa vie. Avec les petits, il se faisait petit. Il aimait rire avec eux, jouer avec eux, les taquiner. Combien d'entre nous se rappellent ces après-midi joyeux à Rideau Hall au moment de Noël où les enfants du patronage étaient invités. Il s'entourait d'eux, il était même enseveli sous autant d'enfants qui pouvaient l'approcher — à la joie bien sûr de tous. Et avec ses petits-enfants il avait une relation très spéciale, une certaine compréhension qui allait au-delà des paroles.

Mes parents avaient le don de recevoir, d'accueillir des amis. Ils savaient mettre immédiatement à l'aise et transformer ce qui aurait pu n'être qu'une formalité rigide en une rencontre heureuse, détendue... Ils créaient entre eux un esprit familial qui donnait de la chaleur à toute réunion. Ils portaient à leurs invités un intérêt si réel que ceux-ci pouvaient donner le meilleur d'eux-mêmes. C'est ainsi que les contacts et les conversations étaient rarement superficiels. La gaieté et la simplicité de mon père, alliées au dynamisme et à la spontanéité de ma mère, ne pouvaient que mettre leurs invités à l'aise.

Mon père possédait vraiment le don de l'amitié. On pourrait plutôt dire qu'il avait développé et incarné vraiment les qualités qui font l'ami authentique. Nombreuses sont les personnes qui l'ont rencontré seulement une ou deux fois et qui ont pourtant remarqué son aptitude à nouer de vraies amitiés. Dans une lettre de condoléances, nous avons pu lire les paroles suivantes:

Mais je me demande si ce n'était pas le don du général Vanier que de donner à chacun le sentiment d'avoir en lui un ami personnel. Il y arrivait sans peine pour la simple raison que c'était vrai, chaque être humain lui était précieux[36].

Augustin, dans *Le Devoir* du 8 mars 1967, a exprimé ce que tant de personnes ont ressenti après avoir rencontré le gouverneur général:

Vous sortiez de l'entretien sans avoir, à aucun moment, été soumis à ce genre plutôt pénible d'exhortation que des vieillards chagrins adressent souvent à des hommes plus jeunes. Mais c'était comme si votre rôle personnel, dans la solution de certains problèmes, vous était apparu dans une lumière plus nette, dans une perspective plus exigeante.

L'heure du départ venue, on vous offrait un gîte pour la nuit mais on voulait surtout que vous vous sentiez tout à fait libre de retourner à vos affaires. On ne vous faisait pas croire qu'on avait voulu vous honorer en vous recevant. On vous remerciait plutôt de la «faveur» que vous aviez faite à vos hôtes en allant les visiter chez eux. Le moment de séparation n'était qu'en apparence celui de la rupture. Il ouvrait plutôt une communion — ce mot, avec le mot «amour», résume toute la vie de Georges P. Vanier — qui allait devenir, malgré vous, une présence quotidienne, une amitié gratuite, dont vous chercheriez vainement la source ailleurs que dans un certain esprit qui n'est pas de ce monde...

---

36. Lettre de Gabrielle Roy du 11 mars 1967.

Récemment, l'un de nous a entendu quelqu'un de Québec faire remarquer qu'à la suite d'une conversation avec mon père, il s'était senti fier d'être un homme. Il ajouta que mon père avait cette rare aptitude à rendre l'autre conscient de sa propre valeur et de ses capacités, et à lui donner ainsi la force et la perspicacité dont il avait besoin.

Le docteur Wilder Penfield a dit de lui:

> Malgré tout ce qu'il avait reçu de la vie, jamais il ne perdit son naturel et sa simplicité, son don d'amitié et son aptitude infaillible à comprendre les autres. Il y avait toujours chez lui un moment pour la gaieté et la camaraderie de même qu'un moment pour penser au bien commun[37].

> Il avait le don de la compréhension [écrivait Rabbi W.A. Wachsmann[38]]. Il s'efforça non seulement de comprendre la volonté du Créateur mais les idées et aspirations et même les incohérences des hommes et de les interpréter non de son point de vue mais du leur.

Il était toujours accessible, ce qui pourrait paraître étrange chez un homme qui, pendant de nombreuses années, a rempli des fonctions où il pouvait être «protégé» par son entourage.

---

37. «Georges P. Vanier and Social Evolution», allocution prononcée devant le McGill Society of New York, au Princeton Club de New York, le 4 mai 1967.
38. *Regina Leader Post,* 9 mars 1967.

Il est vrai que son désir de s'occuper personnellement d'un grand nombre de choses n'a pas dû rendre la vie facile à ceux qui travaillaient pour lui, mais cela lui permettait de garder un contact avec un nombre surprenant de personnes. Il donnait à beaucoup un sentiment de sécurité et l'assurance que tout irait bien s'il s'était intéressé à eux ou se souciait de leurs problèmes. Il leur donnait l'impression qu'il se préoccupait vraiment d'eux, et il s'agissait de personnes qui avaient assez d'expérience pour savoir discerner ce qui est authentique de ce qui ne l'est pas.

Nous disions tout à l'heure que cet épanouissement de sa vie affective dans l'amour et la compréhension des autres était comme un sommet de sa vie intérieure, le fruit des années de prières et de vertus pratiquées. Il semble avoir senti toute la force des paroles de Jésus sur l'amour du prochain qui s'identifie en quelque sorte à l'amour de Dieu et surtout qui en découle. Il avait, en effet, souligné les paroles suivantes dans les manuscrits autobiographiques de Thérèse de Lisieux[39]:

«Ce ne sont pas ceux qui disent: Seigneur, Seigneur, qui entreront dans le royaume des Cieux, mais ceux

39. *Manuscrits autobiographiques de sainte Thérèse-de-l'Enfant-Jésus*, 1957, Éd. Livres de Vie, p. 256. Citant l'*Évangile selon saint Matthieu* 7,21.

qui font la volonté de Dieu.» (*Matt* 7,21) Cette volonté, Jésus l'a fait connaître plusieurs fois, je devrais dire presque à chaque page de son Évangile; mais à la dernière cène [...] ce doux Sauveur veut leur donner un commandement nouveau. Il leur dit avec une inexprimable tendresse: je vous fais un commandement nouveau, c'est de vous entraimer, et que, comme je vous ai aimés, vous vous aimiez les uns les autres. La marque à quoi tout le monde reconnaîtra que vous êtes mes disciples, c'est si vous vous entraimez[40].

Dans son message du Nouvel An 1961, il disait:

Nous vivons à l'âge de la machine et du mouvement. Ne serait-il pas possible à chacun de nous de consacrer dix minutes par jour au recueillement, à la réflexion?

Nous parlons beaucoup de la paix. Nous la désirons tous, mais le rythme de la vie est tellement fébrile que nous négligeons le moyen principal qui nous y conduirait: l'amour du prochain, qui crée un climat de confiance et de sérénité.

Pendant ces quelques minutes de silence réfléchissons un peu au précepte «Aimez-vous les uns les autres». Qui sait si ce n'est pas le premier pas sur le chemin de l'amitié entre les peuples du monde et la réalisation du vœu «Paix sur la terre aux hommes de bonne volonté?»

---

40. *Évangile selon saint Jean* 13,34-35.

En l'église anglicane St. Bartholomew d'Ottawa, il disait le 15 novembre 1964:

Le plus grand de tous les attributs de l'esprit, c'est l'amour. Grâce à cette puissance, le Bon Pasteur et ses brebis se connaissent. De Lui nous tenons les deux grands commandements de l'amour. Mais ne soyons pas tentés de restreindre la portée de ces commandements à une conception étroite de la charité selon laquelle il ne faudrait aimer son prochain qu'après s'être satisfait soi-même. Dans la tradition juive, la charité englobe la justice qui, d'après Platon, est la vertu par laquelle un homme possède ce qui lui revient de droit et agit en conséquence. C'est par tout le comportement de l'homme qu'on juge de son amour. Que vos vies soient donc fondées sur l'amour et unies par la prière qui n'est que l'expression de l'amour.

Nous avons tous besoin d'amour... Nous avons tous besoin de donner et de recevoir. On a dit qu'un mystique est un homme épris d'amour pour Dieu et que la première étape dans cette voie est la prière. Nous devons être épris d'amour pour quelqu'un, et pourquoi pas pour Dieu? Et par Lui... pour notre prochain.

Dans un foyer pour enfants délinquants, Doréa, près de Valleyfield, il prononça le 13 mai 1958 le discours suivant:

Le grand fléau de notre siècle, de notre pays — oui, de notre pays — en ce moment, est la jeunesse délinquante. Que pensez-vous que les garçons sans foyer, élevés dans la rue deviennent le plus souvent? Des voyous, des bandits. Et où finissent-ils? En prison. Eh bien, Doréa reçoit, sauvegarde, réhabilite les garçons abandonnés et ainsi prévient ce cancer de la délinquance. Quelle belle œuvre salvatrice et rédemptrice!

Je vous avoue que je suis profondément ému. Ce n'est pas étonnant: votre exposé, mon Révérend Père, des besoins, des problèmes, des angoisses des enfants abandonnés est bouleversant.

Le bourgeois qui l'entend — nous sommes tous plus ou moins bourgeois, vous et moi, mes amis — doit être inquiet, doit sentir sa conscience un peu agitée. Si nous avons encore un esprit vraiment chrétien, nous devons nous demander, comme vous l'avez si bien suggéré à la fin de votre beau plaidoyer, quel sera l'accueil du Christ à l'heure où nous rendrons nos comptes. Que répondrons-nous à Jésus lorsqu'il nous demandera: «Toi, enfant légitime, qu'as-tu fait pour ton frère, qu'on se plaît à appeler illégitime? Il est mon enfant ausi légitime, aussi aimé que toi. Qu'as-tu fait pour lui?»

Et nous, les bourgeois légitimes, jetant un regard autour de nous dans ce ciel tant désiré — en supposant que nous y soyons — serons étonnés de voir sur les gradins plus élevés de l'amphithéâtre céleste les illégitimes que nous n'avons pas aidés à connaître l'amour ici-bas.

Ne croyez pas que je parle ainsi pour jouer sur les cordes de nos émotions, pour nous entraîner dans la voie de la sensiblerie. Non, c'est pour nous mettre en face de notre responsabilité qui est immense. C'est pour introduire un peu de réalisme dans notre vie matérialiste, superficielle et égoïste.

Pourquoi sommes-nous ici, vous et moi? Nous sommes ici pour aider à parfaire, à compléter ce monument de foi, d'espérance et de charité que le R. P. Lussier est en train d'élever, avec peine et misère mais avec courage et amour, à la gloire de Dieu, pour les enfants abandonnés. Et nous réussirons; ainsi ferons-nous une action méritoire aux yeux des hommes et du Christ. Vous avez fait une bonne action en venant, ce soir, appuyer les efforts de Madame Leclair. Continuez de venir en aide à Doréa. En plus de donner, sollicitez vos amis, intéressez-les à cette œuvre, faites des conversions.

Je me permets de vous citer, avec le plus grand respect, un Évangile qui peut s'appliquer à ceux qui sollicitent les dons pour Doréa. C'est un Évangile que vous connaissez bien; il enseigne la patience, la persévérance, la ténacité, l'opiniâtreté; la volonté de ne jamais accepter un refus de souscrire. Le voici: Notre Seigneur dit: «Si quelqu'un de vous ayant un ami va le trouver au milieu de la nuit disant: "Mon ami, prête-moi trois pains, car un de mes amis qui voyage est arrivé chez moi et je n'ai rien à offrir" et que, de l'intérieur de la maison, l'autre répond: "Ne m'importune pas, la porte est déjà fermée; mes enfants et moi nous sommes au lit, je ne puis me lever pour te rien donner." Si le solliciteur continue de frapper, je vous le dis, quand même il se lèvera à cause de son importunité et lui donnera autant de pains qu'il en a besoin.»

Ce qui revient à dire au fond, si par malheur vous rencontrez un premier refus — ce que je ne prévois pas — faites semblant de ne pas comprendre, continuez de solliciter. S'il le faut, soyez ennuyeux, importun, fatigant, agaçant, gênant, énervant, obsédant, jusqu'à ce que le sollicité, à bout de forces, se rende pour avoir la paix.

Mais je suis sûr que vous n'aurez pas de mal à vous faire écouter partout où vous irez. Pourquoi? Parce que notre cause est magnifique, elle se plaide toute seule. Donnons et sollicitons.

Alors à l'œuvre et n'oublions pas que personne ne s'appauvrit en donnant à son frère pour l'amour de Dieu.

Le 8 février 1964, au banquet de la Fondation de la famille terrienne, il parla ainsi:

La générosité cherche à donner non par une sorte de paternalisme, mais par un véritable amour qui incite à épouser les souffrances et les joies des autres. Si notre bonne fortune, don de Dieu et de la nature, n'est pas au service des autres par amour, notre conscience nous condamnera. Nous sommes tous responsables de nos frères. Aussi longtemps que la pauvreté existera sur la terre — et je ne parle pas uniquement de la pauvreté matérielle, mais aussi de la pauvreté spirituelle, intellectuelle, culturelle, psychologique ou même physique — et il y a toujours de ces pauvretés — il faut non seulement que notre générosité nous porte vers les souffrances individuelles, mais nous incite à créer des institutions nationales et même internationales pour y remédier. Ainsi pourrons-nous établir une société où tous pourront s'épanouir dans la charité de Dieu et du prochain.

Il y a moyen d'exercer la générosité et de rayonner sur les autres le bonheur que nous possédons nous-mêmes. Et je ne parle pas uniquement des dons d'argent. Je parle surtout du don du cœur. Les miséreux, ceux qui souffrent, ont souvent plus besoin d'affection et d'amitié que d'argent. À notre époque où il y a tant de gens qui souffrent de la solitude, peut-être surtout dans nos grandes villes, il faut que nos foyers unis et heureux soient assez généreux pour ouvrir leur cœur et leur porte à ceux qui sont dans le besoin.

Le 18 mai 1964, il déclarait au Château Laurier devant l'Association des hôpitaux catholiques du Canada:

> Quand Jésus prononçait le discours sur la montagne, Il voyait dans la vision béatifique tous les pauvres du monde; Il regardait avec une prédilection spéciale non seulement les pauvres par la situation sociale, mais aussi par le corps.

En parlant ainsi, mon père n'avait-il pas présent à l'esprit le texte de l'*Évangile de saint Matthieu*?

> J'ai eu faim et vous m'avez donné à manger; j'ai eu soif et vous m'avez donné à boire; j'étais un étranger et vous m'avez accueilli, nu et vous m'avez vêtu, malade et vous m'avez visité, prisonnier et vous êtes venus me voir... En vérité, je vous le dis, dans la mesure où vous l'avez fait à l'un de ces plus petits de mes frères, c'est à Moi que vous l'avez fait[41].

Dans une de ses notes spirituelles datée du 1ᵉʳ janvier 1955, mon père écrit ce fait plein d'enseignement spirituel et de délicatesse:

---

41. *Évangile selon saint Matthieu* 25,35.37-40.

Hier après-midi, je me suis rendu à l'audience de S.E. le cardinal Léger qui reçoit le 1er de l'An. Après, j'ai fait ma demi-heure à la cathédrale, puis en sortant par une porte de côté, j'ai cherché un taxi. Comme je n'en trouvais pas, j'ai marché jusqu'à la rue Dorchester et j'ai attendu au coin. J'ai dit à Jésus que nous irions ensemble en trouver un. Le vent fut assez froid. Un homme venant du nord traversa la rue. Il était en haillons. J'eus le sentiment qu'il me parlerait. En effet, il vint vers moi et en anglais me demanda si je ne lui donnerais pas quelques sous pour acheter quelque chose. Je répondis en français «oui» et il me dit «oh merci» d'une voix tremblante et reconnaissante. Ayant de la petite monnaie j'en sortis de ma poche et lui en donnai... «Voici à peu près 50 sous.» Une nouvelle fois il me remercia de la même voix et il partit.

Ce matin je m'éveillai vers deux heures et me mis en oraison. À un certain moment je dis à Dieu le Père ou à Jésus: «Dieu, demeure avec moi» et j'ai beaucoup pensé au mendiant de la veille.

Il voulait suivre Jésus dans son amour des pauvres, il était plein de délicatesse pour eux. Et eux ont compris son amour et l'ont aimé en retour comme en témoigne ce texte écrit par Marjorie Conners dans *Unity*[42]:

CE MESSAGE VIENT DE L'ARMÉE DES PAUVRES

Les pauvres n'ont pas de voix
Ils n'ont aucun moyen d'exprimer leur tristesse
à la Résidence du Gouverneur.

---

42. *Unity*, avril 1967.

112

Alors ces lignes leur appartiennent
à travers une personne
à laquelle il se sont confiés
pendant les jours qui ont suivi la mort du Général,
elles parlent pour les muets.

Lorsque meurt un éminent personnage international de grande réputation, les journaux, la radio, la télévision et les chaires font pleuvoir les éloges. On peut s'y attendre; c'est normal et d'ailleurs, dans certains cas, les panégyriques sont vrais...

Mais il y un autre genre d'éloge, plus rare et si inattendu qu'il donne vraiment matière à réflexion. Depuis la mort du gouverneur général, il ne s'est pratiquement pas passé une journée sans qu'un des membres de la troupe des déshérités n'ait exprimé sa tristesse et son chagrin. Certains d'entre eux sont des anciens combattants du 22e, d'autres du Black Watch.

Pour eux, Son Excellence était simplement le Général ou le Chef. Leur chagrin est plus grand qu'on aurait pu le supposer. Dans un monde endurci, il fait bon penser que quelqu'un de haut placé se préoccupe de ceux qui sont méprisés et rejetés et ressent pour eux de l'affection et de la sollicitude. Le Général était aimé. Nous pleurons sa mort. Nous ne l'oublierons jamais.

Un vieil alcoolique (adonné à l'alcool à friction), à la démarche chancelante, aux mains tremblantes et aux larmes remplies d'alcool disait: «Je prie Dieu de donner à notre Chef ce qu'il y a de meilleur.» Ce n'est là qu'un exemple entre mille. Parmi les personnes qui sont souvent considérées comme une disgrâce pour une communauté civilisée, un scandale pour les visiteurs, innombrables sont ceux qui ont exprimé leur sentiment de tristesse...

Quelques anciens combattants apportent des photographies du Général découpées dans un journal qu'ils ont ramassé dans des corbeilles à papier dans la rue.

Cette maison[43] a perdu un grand ami et un grand soutien. L'a-t-elle vraiment perdu? Peut-être que non. Espérons en effet que le Général se souviendra de nous dans l'au-delà.

Nous sommes convaincus que «le Général», dans l'au-delà, non seulement se souviendra d'eux mais que sa sollicitude demeurera même plus fidèle et se fera incore plus concrète.

Symbole d'unité

Ce désir profond de fraternité qui émanait de mon père se traduisait par un sens aigu de l'unité. Il ressentait la primauté de l'amour et il était convaincu que celui-ci engendre l'unité.

Dans les journaux, il fut en efet appelé «le symbole de l'unité», «l'apôtre de l'unité», «l'ambassadeur de l'unité». Le Premier ministre du Canada, monsieur Lester B. Pearson, déclara à la Chambre des Communes:

---

43. «Cette maison» se réfère à «Patricia House» à Montréal que Mme Conners dirigeait. Celle-ci est morte le jour de Noël à Patricia House alors qu'elle servait le repas aux pauvres.

C'est l'unité du pays qui l'inspirait chaque fois qu'il faisait une déclaration et qu'il rehaussait une assemblée par sa présence[44].

Et monsieur Daniel Johnson, premier ministre du Québec, a dit qu'il s'est fait «l'apôtre infatigable de l'harmonie entre tous les Canadiens[45]».

Il y aurait tant de choses à dire sur son désir de maintenir l'unité de son pays; ses dernières années étaient consacrées à aider les Canadiens de différentes origines à s'apprécier et à se comprendre mutuellement. D'autres pourront écrire avec plus d'éloquence que moi sur ce sujet. Ses messages du Nouvel An restent comme son testament politique, je dirai presque spirituel, sur ce point.

On aurait pu parler de son désir d'aider la famille, cette petite cellule de base de la société humaine, à demeurer unie. Il sentait que tant de forces viennent détruire à notre époque les valeurs familiales. C'est ainsi qu'avec ma mère il a réuni à Rideau Hall, en 1964, le Congrès sur la famille et il a inspiré la fondation de l'Institut Vanier de la famille.

L'été dernier [disait-il dans son message du Nouvel An 1965], nous avons convoqué ici, à la Résidence, une réunion œcuménique sur la famille. Nous nous

---

44. *Débats de la Chambre des Communes*, le 6 mars 1967, p. 13 754.
45. *Le Devoir*, 6 mars 1967.

somme réunis, hommes et femmes de diverses croyances, diverses langues, diverses professions; nous avons prié et étudié ensemble. Nous continuons d'agir en vue d'unifier et de raffermir la vie familiale au Canada. Nous avons cherché à nous souvenir du message si apte de saint Paul aux Corinthiens (*1 Cor* 12,4-6): «Il y a diversité de dons, mais le même esprit; diversité de ministères, mais le même Seigneur; diversité d'opérations, mais le même Dieu qui opère en tous.»[46]

Mon père était vraiment un homme qui cherchait à créer l'unité dans tous les domaines. Voici un témoignage du révérend John N. Gladstone[47]:

> Nous pouvons dire que sa bonté se traduisait par un désir de réconciliation; la septième béatitude citée par Jésus proclame que le bonheur est réservé aux pacifiques: «Heureux les artisans de paix, car ils seront appelés enfants de Dieu[48].»
>
> Ce soldat était un homme de paix. Il cherchait à réconcilier; il était résolu à faire régner la compréhension [...] Il était aussi un artisan de la réconciliation dans le domaine de la religion [...] ce dont nous avons besoin aujourd'hui, ce n'est pas d'un esprit d'inquisition, mais de l'esprit même du Calvaire — un esprit d'amour réconciliateur, désirant ardemment prier et travailler et cherchant à

---

46. Message du Nouvel An, enregistré le 14 décembre 1964.
47. Éloge prononcé dans une église baptiste de Toronto, le 30 mars 1967.
48. *Évangile selon saint Matthieu* 5,9.

renouveler toutes les Églises et à les faire revivre par l'Esprit du Dieu vivant.

La source de cet esprit d'unité, nous la trouvons admirablement exprimée dans ce texte de Catherine Doherty:

> Il me donnait un sentiment intense de sécurité, en étant tout simplement ce qu'il était. Il était pour moi le symbole de l'unité, celui de l'unité du pays qu'il désirait si ardemment; mais il était plus que cela; il incarnait vraiment l'essence même de l'esprit d'unité qui ne peut venir que d'un homme uni à son Dieu[49].

Ces quelques réflexions nous permettent de comprendre les raisons profondes de la réaction universelle suscitée par sa mort.

> L'émotion soulevée par le départ de Georges Vanier s'explique d'elle-même [...] le personnage fut, d'abord, un témoin de l'absolu[50].

Claude Ryan exprimait sans doute les sentiments de la plupart des Canadiens lorsqu'il écrivait:

> On pleure surtout le grand serviteur de l'État, et encore davantage l'ami universel, le frère spirituel qui se cachait derrière le titulaire de la plus haute fonction civile du pays [...]

---

49. *Restoration*, Combermere, Ontario, avril 1967, trad. M. V.
50. Émile Legault, c.s.c., dans *La Presse* du 11 mars 1967.

117

Rencontrer cet homme, surtout peut-être vers la fin de sa vie, c'était se sentir plus proche de Celui qu'il avait hâte de rencontrer[51].

---

51. Claude Ryan, «Feu Monsieur Georges Vanier» dans *Le Devoir*, 6 mars 1967.

Appendice

Il nous semble opportun d'ajouter en appendice quelques extraits de certaines allocutions ou conférences publiques que mon père prononça entre les annés 1942 et 1955, et où il indique le rôle du spirituel dans le monde moderne.

Nous commençons par un discours qu'il prononça en sa qualité de Commandant du district militaire de Québec, le 8 mars 1942, devant les troupes rassemblées au camp Valcartier, après la messe qui inaugurait une campagne contre le blasphème.

«NE BASPHÉMEZ PAS[52]»

Permettez-moi de vous dire que je sais trop ce qu'est le blasphème. Je n'ai pas pu passer quatre années de guerre sans avoir connu la tristesse et

---

52. Allocution publiée dans *Paroles de Guerre*, major-général Vanier, Beauchemin, Montréal, 1944.

la honte d'en entendre quelques-uns. Je parle donc, malheureusement, en connaissance de cause. J'ai entendu les noms de Dieu, de Jésus-Christ, de la Sainte Vierge, prononcés de telle façon que j'ai frémi d'horreur. J'ai entendu profaner les noms de ces objets sacrés qui servent au saint sacrifice de la messe, ces objets que vous voyez ici sur l'autel, le calice, le ciboire, le tabernacle même... Comment expliquer ce sacrilège si ce n'est par l'intervention de Satan, qui se sert de notre foi, de notre connaissance du culte pour nous armer contre Dieu?

Je me rappellerai toujours un certain soir de bataille. Péniblement, nous montions à la file indienne vers la première ligne — il faisait noir — les obus éclataient. Soudain, j'entendis dans la nuit une voix qui blasphémait. Ces blasphèmes, au moment où nous étions si près de la mort, me firent peur parce que le blasphème attire la malédiction divine. Je réussis à atteindre le blasphémateur et lui demandai: «Qu'est-ce que le Christ vous a fait, mon ami, pour que vous l'outragiez ainsi?» Il trembla comme un enfant et faillit fondre en larmes. Il avait blasphémé sans y penser, presque sans le savoir. Sans y penser? Sans le savoir? En effet, la plupart de ceux qui blasphèment tâchent de s'excuser en disant qu'ils n'y pensent pas. Comme si on pouvait oublier!

Croyons-nous, oui ou non, que le Christ a souffert et est mort sur la croix pour nous? Si nous le croyons, comment pouvons-nous l'oublier un seul instant et au point d'accabler d'injures Celui qui nous a aimés jusqu'à donner sa vie pour nous?

Si j'osais vous conseiller un procédé audacieux, je dirais: dans un moment de dépit, d'emportement, de colère, si vous blasphémez, essayez de substituer au nom du Christ le nom de votre père, et au nom de la Sainte Vierge celui de votre mère. Vous ne pourrez pas, parce que tout votre être s'insurgera pour vous empêcher de commettre ce crime contre nature. Mais alors, le crime contre Dieu et le ciel? Avec quelle volonté farouche ne devons-nous pas le repousser, l'écraser comme un serpent immonde?

Je suis heureux d'apprendre de vos aumôniers que vous assistez en grand nombre à la prière du soir. La prière est le moyen le plus efficace d'enrayer le blasphème. Ceux qui prient bien ne peuvent pas blasphémer, parce que la prière et le blasphème sont deux ennemis irréconciliables. Devant la lumière de la prière, le diable fuit et rentre sous terre.

Officiers et sous-officiers, votre devoir est de donner le bon exemple aux soldats.

Quelques-uns s'imaginent peut-être que les gros mots et les blasphèmes confèrent une certaine autorité. Erreur profonde... le contraire est vrai. L'autorité du Chef repose sur le respect et la confiance qu'il sait inspirer à ses soldats, sur l'exemple qu'il donne d'une vie sans peur et sans reproche.

Pour l'amour de Dieu, prenez la résolution, en ce saint temps du Carême, de ne plus blasphémer et aussi de détourner vos amis de ce crime odieux. Ainsi, nous attirerons la bénédiction du ciel sur nos drapeaux.

«L'ESPRIT ET LA GUERRE[53]»

C'est une allocution qu'il a faite devant le Canadian Club de Montréal le lundi 30 novembre 1942, à l'hôtel Windsor.

* * *

Je sais que vous me pardonnerez si je paraphrase une partie d'une allocution que j'ai prononcée il y a quelque temps lorsque j'ai présenté des ailes à des navigateurs de l'aviation. Je leur ai dit:

> Vous connaissez la grandeur et la beauté de vivre parmi les étoiles, bien loin au-dessus des petitesses et des sordides intérêts. Tout homme digne du nom d'homme et qui ne peut suivre votre exemple envie

---

53. Traduit de l'anglais.

le rôle que vous jouez dans les desseins de la Providence.

Lorsque vous aurez à vous battre dans un ciel lointain, assombri par les nuages de la guerre, vous assurerez la protection de tous ceux qui dans ce pays vous sont chers; vous assurerez leur protection de manière telle — et un Canadien digne de ce nom n'en choisirait aucune autre — qu'ils ne souffrent pas de la cruauté sauvage et de l'abominable barbarie que le nazisme exerce contre les femmes et les enfants de l'Europe. Vous avez compris combien il est vrai que la défense *du Canada au Canada* ne peut aboutir qu'à transformer notre pays en une mare de sang et notre peuple en une horde de miséreux. C'est dans un autre ciel que le nôtre que notre pays doit être défendu si nous ne voulons pas que nos ennemis transforment nos horizons en un brasier d'horreur.

Souvenez-vous toujours que dans les heures les plus sombres, sur terre ou près des étoiles, vous ne serez jamais seuls et que vous sentirez la chaleur de la Présence divine si vous l'implorez. J'ose dire que Dieu doit être fier de sa création quand Il vous regarde monter vers Lui. Notre foi en Lui et Sa Providence doit être infinie quand nous nous rappelons que c'est Sa Providence qui, chaque fois, permet à l'aile de l'oiseau de s'ouvrir et de se refermer. Braves pilotes, que Dieu vous protège au cours de vos envolées dans Son Ciel, qu'Il vous guide et qu'Il garde les ailes que vous portez sur votre cœur largement ouvertes sous tous les firmaments du monde.

Pourquoi ai-je décidé de vous parler de l'esprit ou des valeurs spirituelles dans la guerre?

C'est parce que je crois profondément et sincèrement qu'au-delà de toutes les forces de la matière, au-delà de tous les avions et de tous les navires, de tous les blindés et de tous les canons, l'esprit en tant qu'opposé à la matière est l'arme la plus puissante que nous ayons en notre possession.

C'est parce que je crois que la doctrine nazie était vouée à l'échec dès sa naissance étant donné qu'elle était fondée sur une conception païenne de la vie et sur des mensonges. Son enseignement n'est pas conforme à la seule valeur qui importe et à la seule qui demeure et demeurera pour toujours: la vérité. Il n'est pas possible de bâtir sur une autre base, tout le reste n'est que sable mouvant.

C'est parce que je crois que nous aboutirons à un chaos sans espoir à la fin de la guerre si nous ne conformons pas nos vies à des valeurs morales, personnelles autant que nationales, plus élevées que celles que nous avons aujourd'hui.

Notre démocratie a-t-elle assez de force spirituelle? Depuis des années, depuis des générations, nous avons entendu que la démocratie est mise à l'épreuve. Le fait qu'elle l'ait été pendant si longtemps est la preuve même de sa force inhérente mais cela ne garantit pas qu'à la fin le prisonnier à la barre ne sera pas condamné.

Cette guerre a mis à jour les points faibles de la démocratie, il y en a beaucoup et vous les connaissez aussi bien que moi. L'avenir de la démocratie est maintenant entre nos mains, pendant la guerre. Le remède ultime ne réside pas seulement dans la construction d'œuvres matérielles et d'armes purement humaines. Il réside également et essentiellement dans un respect plus intégral de nos devoirs et de nos obligations envers Dieu, notre pays et nos frères; il repose également dans la libre acceptation de tous les sacrifices, aussi pénibles qu'ils puissent être, qu'un code de morale plus ferme nous imposera. Nous devrons laisser de côté un grand nombre de nos privilèges et de nos soi-disant droits personnels.

Quelques personnes commencent à se rendre compte que la démocratie, sans l'aide de l'armature divine pour la renforcer, aura beaucoup de difficultés et ne pourra peut-être pas résister à la tempête. Il y a très peu de temps, le Président des États-Unis disait: «Nous savons que les libertés spirituelles de l'humanité sont en danger — nous nous battons contre les forces du mal à l'étranger — nous aurons besoin de toutes nos resssources spirituelles pour nous soutenir dans les jours à venir — providentiellement, il y a toujours quelqu'un pour nous guider si nous savons où le chercher.» En effet, le psalmiste s'exprime en ces termes: «Une lampe sur mes pas, ta parole, une lumière sur ma route[54].»

Si nous demandions l'aide de Dieu plus souvent, la brume du doute dans laquelle nous vivons se dissiperait.

[...]

Oui, nous devons avoir la foi, foi en Dieu et en Sa Puissance de nous aider; foi en la justice de notre cause; foi en nous-mêmes et en la victoire ultime; la foi qui peut transporter des montagnes peut faire des miracles et ainsi changer le cours de l'histoire

> La force de la prière est beaucoup plus grande que le monde ne pourrait se l'imaginer.

Forts de cette conviction, nous pourrions revenir à la foi très simple de nos ancêtres et imprégner notre vie quotidienne de la foi en la puissance de la prière. Chacun de nous aurait à l'intérieur de lui-même une source d'inspiration divine que Hitler, dans sa conception païenne de la vie, méprise.

On a tendance, dans certains milieux, à appeler faiblesse l'esprit de prière, comme si on cessait d'être réaliste quad on prie. Un grand savant de notre temps a dit toutefois:

---

54. *Ps* 119,105

Plus que jamais les hommes et les nations ont besoin de la prière pour vivre. Le manque d'insistance sur le sens religieux a conduit le monde au bord de la destruction. Notre source la plus profonde de force et de perfection est demeurée misérablement sous-développée. Si la puissance de la prière est de nouveau mise en branle et utilisée véritablement dans la vie des hommes et des femmes ordinaires, il y a encore de l'espoir que nos prières pour un monde meilleur seront entendues.

Ceux qui ont lu le *Reader's Digest* du mois de novembre savent de qui il s'agit: du célèbre Dr Carrel.

[...]

Une foi née de la prière engendre tout naturellement la charité, qui est la plus grande de toutes les vertus. Et nous devons avoir la charité si nous espérons bâtir un monde meilleur.

Vous vous rappelez l'histoire du légiste qui disait à Jésus: «Et qui est mon prochain?» Jésus reprit:

Un homme descendait de Jérusalem à Jéricho, et il tomba au milieu de brigands qui, après l'avoir dépouillé et roué de coups, s'en allèrent, le laissant à demi mort. Un prêtre, par hasard, descendait par ce chemin; il le vit, prit l'autre côté de la route et passa. Pareillement, un lévite, survenant en ce lieu, le vit, prit l'autre côté de la route et passa. Mais un Samaritain qui était en voyage arriva près de lui, le vit et fut touché de compassion. Il s'approcha, banda ses plaies, y versant de l'huile et du vin, puis le chargea sur sa propre monture, le conduisit à l'hôtellerie et prit soin de lui[55].

C'était sur la route de Jérusalem à Jéricho que les brigands dépouillèrent et rouèrent de coups, laissant à demi mort le pauvre voyageur de l'Évangile. Mais qu'en est-il des millions de personnes qui ont été dépouillées, rouées de coups et laissées à demi mortes et mortes sur la route couverte de sang allant de Rotterdam à Varsovie et Belgrade, sur toutes les routes de l'Europe torturée? Chacun de ces hommes n'est-il pas notre frère?

Que représente le Christ pour vous et pour moi? Est-Il seulement une légende ou un symbole tiré d'une page d'histoire?

S'Il représente plus que cela pour nous, s'Il vit en nous, nous ne devons pas avoir de repos et nous n'en aurons pas avant qu'on ait libéré nos frères.

Suivant le titre de mon allocution, je devrais me limiter à considérer l'esprit et la guerre. Mais je sais que vous me pardonnerez si je vous parle brièvement de la période d'après-guerre. En toute franchise, j'ai moins peur de la guerre que de l'après-guerre, et j'estime vraiment que les valeurs spirituelles seront plus essentielles que jamais à ce moment-là.

---

55. *Évangile selon saint Luc* 10, 29-34.

Si nous pensons qu'après la guerre, nous pourrons continuer de vivre dans notre vieux confort matériel, nous avons tort. Il y aura un nouvel ordre de choses, qui s'établira par mode d'évolution si nous faisons preuve de sagesse, et autrement par une révolution.

Si nous ne mettons pas en pratique maintenant les enseignements du Christ, à la fin des hostilités nous nous trouverons aux prises avec les dangers qui proviennent de l'égoïsme, de l'envie, de la cupidité, de la haine. Ce sont là des vices qui peuvent être aussi bien collectifs que personnels. Ce n'est pas un lieu commun ou une banalité de dire qu'il sera plus facile de gagner la guerre que d'instaurer une paix fondée sur la justice. Je partage l'avis exprimé dans un article que j'ai lu récemment dans *La Presse*. Je cite:

> Il me semble que les problèmes actuels, le conflit implacable des idéologies politiques, de la haine raciale, des horreurs innommables de la guerre et le danger qui menace toute notre civilisation nous obligent à admettre qu'il n'existe pas d'autre solution aux maux de l'humanité que l'application pratique des vérités toutes simples qui furent enseignées aux pauvres pêcheurs et paysans juifs par un homme qui, il y a 1900 ans, fut crucifié.

Je ne suis pas convaincu que la guerre nous forcera à prier, mais si elle n'y réussit pas, le cataclysme qui suivra la guerre nous y obligera sûrement.

Pour terminer, j'aimerais affirmer de nouveau ceci: je ne prétends pas que, pour parvenir à la victoire, nous devions lier à la foi et à la charité la satisfaction de nous-mêmes. Dieu m'en garde. Mais je crois profondément que l'homme qui reçoit l'aide d'en haut est mieux préparé pour assumer ses responsabilités, mieux armé pour le combat. L'homme qui croit qu'il vivra jusqu'au moment choisi par Dieu fera face au danger avec sérénité et courage. Julian Grenfell, tué au champ d'honneur en 1915, exprima véritablement ce sentiment de sérénité lorsqu'il écrivit ces paroles au sujet du soldat au combat:

Et lorsque l'orage éclate
Et que l'esprit se dépouille de tout autre souci,
Et que seule la joie du combat le prend
Par la gorge et le rend aveugle,

À travers la joie et l'aveuglement il saura,
Ne cherchant pas à savoir, que rien
Ne le touchera qui
Ne soit la volonté d'en haut.

Efforçons-nous maintenant d'associer la prière à la puissance, la foi au feu, la charité à l'action efficace et rapide. Que la lumière de ces éclairs spirituels dissipe les nuages du doute et de la peur, oriente nos pas dans cette sombre vallée de la guerre et nous guide, aussi ardue que puisse être la route menant au sommet de cette montagne où, il y a 19 siècles, un certain sermon fut prononcé.

«NOTRE MONDE A UN BESOIN
URGENT D'UNE ÉLITE SPIRITUELLE»

Mon père prononça cette conférence où il décrit, tel qu'il l'entrevoyait, le rôle de la France sur le plan spirituel et religieux, le 26 novembre 1952, lorsqu'il était ambassadeur en France, devant les professeurs et les étudiants de l'Institut Catholique de Paris.

* * *

[...] De quoi notre monde a-t-il besoin avant tout et de façon extrêmement urgente en ce moment? D'une âme, d'un esprit. Notre univers est devenu un corps immense, et ses rouages de plus en plus compliqués et déterminants le rendent de plus en plus pesant. Il est devenu un corps gigantesque, qui risque de ne plus être à l'échelle humaine. Les guerres, et surtout les guerres actuelles qui sont en partie la conséquence des crises économiques et en partie le résultat des passions et des ambitions des hommes, sont aussi un facteur dominant de cet aplanissement. Les bombardements détruisent des villes qui ont été édifiées par des siècles de labeur humain et qui, dans leurs édifices de style différent gardent et synthétisent tout un patrimoine du passé, riche des différentes valeurs humaines qui y demeurent inscrites. Et ces villes qui évoquent toute l'histoire d'un peuple et conservent pour les générations futures toute une valeur d'éducation, sont remplacées par des constructions qui, nécessairement, sont de la même époque, et édifiées le plus souvent sur un type unique. Ces vieilles villes qui étaient si différentes les unes des autres deviennent des cités modernes qui, quels que soient les pays, ont le plus souvent toutes le même type.

Notre monde a besoin d'un développement accéléré de toutes les valeurs qualitatives. Or seul l'esprit peut apporter cet élément; la technique, comme telle, est impuissante à la faire. Et il faut ajouter que notre univers, qui non seulement grandit sans cesse, mais qui encore s'unifie de plus en plus au plan quantitatif, a besoin de s'unifier parallèlement au plan qualitatif et spirituel...

De quelle spiritualité notre monde a-t-il besoin? Les valeurs spirituelles, pour reprendre un terme qui a été souvent employé, suffisent-elles pour rétablir l'équilibre dans notre univers? Je ne le pense pas et je crois qu'entre catholiques il faut avoir assez de magnanimité pour affirmer que notre monde a besoin de la véritable spiritualité, de la seule spiritualité qui réponde pleinement à la signification la plus profonde de ce terme: la spiritualité de l'Esprit Saint. L'esprit de l'homme laissé à lui-même est incapable d'unifier cet univers immense. Ce géant est trop grand pour que notre esprit, avec ses seules forces, lui donne forme et unité. Il faut que Dieu nous donne son Esprit; il faut que notre esprit se dépasse lui-même en participant à l'Esprit du Très-Haut. L'esprit de l'homme peut, sans doute, pousser très loin l'analyse de notre monde, du monde des choses et des réalités matérielles, et même du monde des réalités humaines, sociologiques ou historiques. Mais le pouvoir de l'esprit humain est bien plus limité lorsqu'il s'agit de refaire la synthèse. Il est certain qu'il peut réaliser des synthèses partielles; mais il reste incapable de réaliser la synthèse totale. L'esprit de l'homme, laissé à ses seules ressources, ne peut harmoniser parfaitement tout le monde des forces économiques et sociales, avec tout l'univers de nos valeurs personnelles. Et en ce petit cosmos que forme chacun de nous, notre raison est incapable, de fait, d'établir une unité parfaite entre tout le monde de nos connaissances et de nos techniques et tout l'autre univers de nos affectivités et de nos amours. Or pour établir l'unité autour de soi, pour être porteur d'unité et donc de paix pour les autres, il faut d'abord avoir la paix et l'unité en soi. Quelqu'un qui est divisé en lui-même ne peut finalement que semer la division, et répandre des germes de guerre. Seul l'Esprit de Dieu, qui est à la fois créateur de la matière et de l'esprit, qui est à la fois vérité et amour, peut harmoniser tous ces facteurs si variés. Or c'est à cette unité profonde et vitale que notre monde aspire, car il sent trop que sans elle il risque de sombrer.

Notre monde a un besoin urgent d'élites spirituelles; tout le monde en convient. Mais, nous pouvons et nous devons le préciser, il a besoin avant tout d'une élite de Dieu, de spirituels de Dieu c'est-à-dire de spirituels qui ont été formés par Dieu, qui ont été à Son école et qui, dès lors, peuvent rayonner Son Esprit. Les spirituels de Dieu, ce sont les amis de Dieu, ceux que Dieu a introduits dans Son intimité, à qui Il a fait part de Son Esprit, ce sont les contemplatifs, les saints. Ce sont ceux qui doivent apporter à notre univers cet élément qualitatif, ce facteur d'unité indispensable pour qu'il puisse trouver son harmonie...

Je vous disais tout à l'heure que la France est le pays de l'esprit, de la spiritualité. Ne peut-on préciser maintenant? Elle est la terre des saints. Ne pourrait-on pas dire que les saints français qui, comme tous les saints, sont avant tout les amis de Dieu, se trouvent par surcroît être parmi les plus belles figures de la France, celles qui donnent les meilleures images de son génie?

Je pense à saint Louis, à saint Vincent de Paul, à saint François de Sales, à Jeanne d'Arc, à sainte Marguerite-Marie, et plus près de nous à sainte Bernadette bergère de Lourdes, au curé d'Ars, à saint Louis Grignion de Montfort, à une petite sœur Thérèse... pour ne citer que les saints canonisés...

J'ajoute un mot pour achever ma démonstration. La France est la terre des saints, mais c'est parce qu'elle est la terre que Marie, la Reine des saints, a paru aimer avec une prédilection qu'elle semble s'être réservée. Par le vœu de Louis XIII, ce royaume lui a été confié, ou plutôt donné. L'Assomption, la fête du Couronnement de Marie, a depuis ce temps toujours été célébrée spécialement en France. Marie y est appelée couramment la Reine de France. Et durant ces derniers siècles, la très Sainte Vierge semble aimer visiter ce pays. Elle apparaît chez elle en France, qui semble avoir été choisie pour le lieu de ses apparitions. Marie est venue à La Salette, à Pontmain, à Lourdes... et par là, elle semble vouloir rappeler aux Français et à tout le monde qu'ils doivent se mettre à Son école pour laisser Dieu leur donner Son esprit, et faire d'eux Ses Saints.

À l'aurore des temps modernes, avant ces guerres successives qui devaient disloquer l'Europe, Marie venait rappeler que la seule sagesse qui peut assurer son équilibre ne peut être le résultat de la science et de la technique, ni même de la philosophie, mais qu'elle nous est donnée dans la simplicité de l'Évangile, et qu'elle est le fruit de l'Esprit, qu'elle est un don de Dieu.

[...]

Je voudrais que ces quelques mots vous aient montré les raisons d'avoir une grande espérance, d'être heureux de vivre en ce 20e siècle, parce que pour le chrétien le moment présent est toujours, de fait, le meilleur et aussi parce que cette période en particulier, à cause même de ses aspects tragiques, peut être si féconde en grâces de sainteté. Vous ne devez pas craindre d'être très magnanimes dans votre espérance pour bien voir votre vocation dans toute son ampleur et sa profondeur...

J'entends quelquefois des plaintes et des cris de détresse parce que nous ne vivons plus dans ce que d'aucuns appellent «le bon vieux temps»... Allons donc, le bon temps c'est le nôtre, magnifique, apocalyptique, à l'échelle de Dieu, un temps de lutte entre le bien et le mal, où chacun doit prendre son parti — où il n'y a pas de place pour les tièdes et les lâches.

Ah! Comme saint Paul aurait aimé vivre aujourd'hui. N'entendez-vous pas son message, le même, toujours le même après 19 siècles?

> Pour le reste, frères, fortifiez-vous dans le Seigneur et dans sa vertu toute puissante. Revêtez-vous de l'armure de Dieu afin de pouvoir résister aux embûches du diable. Car nous n'avons pas à lutter contre la chair et le sang, mais contre les principautés et les puissances, contre les dominateurs de ce monde de ténèbres, contre les esprits mauvais des régions supérieures. C'est pourquoi prenez l'armure de Dieu, afin de pouvoir résister quand le jour mauvais surviendra, vous acquitter jusqu'au bout de votre tâche, et tenir ferme. Tenez donc ferme, les reins ceints de la vérité, le corps revêtu de la cuirasse de justice et les chaussures aux pieds — prêts à annoncer l'Évangile de Paix. Ainsi armés, prenez le bouclier de la foi, par lequel vous pourrez éteindre tous les traits enflammés du Malin. Et prenez aussi le casque du salut, et le glaive de l'Esprit, qui est la parole de Dieu.

«LE RÔLE DES CONTEMPLATIFS DANS LE MONDE»

Il s'agit d'une allocution que mon père a prononcée, lorsqu'il était ambassadeur en France, devant les moines de la Trappe de Bellefontaine, une abbaye située près d'Angers, en France. Depuis l'entrée de mon frère aîné au monastère trappiste près de Montréal, en 1947, mes parents se sentaient profondément liés à cet ordre monastique qui se consacre à une vie de silence, de prière et de travail. Mon père avait d'ailleurs considéré la vocation de son fils aîné comme une véritable consécration de son mariage.

Dans cette allocution, mon père trace les grandes lignes du rôle qui, d'après lui, revient aux contemplatifs et aux mystiques dans notre monde moderne. Ce ne sont pas là de simples idées abstraites ou des notions séparées de la vie, mon père était tellement convaincu de ce qu'il affirme ici que pendant une grande partie de sa vie, et en particulier lorsqu'il occupait le poste de gouverneur général, il demeura constamment en rapport avec des hommes et des femmes de prière, avec des monastères et des carmels à qui il demandait toujours l'aide de leur prière.

* * *

[...] Vous savez les liens si intimes qui m'unissent à votre Ordre sur le plan national aussi bien que personnel. En effet, Notre-Dame-du-Lac, à Oka, s'honore et se réjouit d'être votre fille. Il y a quelques jours, j'ai écrit au révérendissime dom Pacôme qui vous est si bien connu, pour lui dire que je venais à Bellefontaine et que je vous apporterais de sa part un message de filiale amitié. Vous comprendrez alors que chez vous, je me considère un peu l'un des vôtres, en famille même, si j'ose m'exprimer ainsi.

Je voudrais profiter de l'occasion qui m'est offerte de vous adresser la parole pour vous dire ce que vous représentez pour nous dans le monde. Je viens chez vous en mendiant, en mendiant de prière, de contemplation et de sacrifice, pour moi-même, pour mon pays, pour le monde.

La société actuelle implique dans ses structures administratives une sorte de matérialisme de fait, qui est, me semble-t-il, le plus grand danger actuel.

Le monde s'est développé considérablement ces dernières années, mais c'est un développement en surface, un développement purement matériel. L'homme n'a en définitive de prise directe que sur la quantité par l'intermédiaire de la mesure. Il peut étendre la zone de l'univers qu'il exploite; en perfectionnant ses instruments, il peut augmenter son rendement en tirant un meilleur parti des matières premières qu'il trouve dans le monde. Comme on l'a dit si justement, l'homme en découvrant l'énergie atomique n'a rien créé, il a seulement dégagé les forces insoupçonnées de la nature, qui étaient jusqu'ici comme enchaînées en elle; par ses techniques, il les a libérées. Mais ces énergies, les a-t-il affranchies pour son bien ou pour son mal? L'auteur de la nature les avait tenues cachées, jusqu'ici elles étaient utilisées par Lui dans les grands phénomènes cosmiques, mais leur potentialité est-elle encore à l'échelle humaine, ou n'est-elle pas trop forte pour l'intelligence de l'homme si féconde, certes, dans le domaine de la science et de la technique, mais qui demeure si bornée pour saisir les vraies finalités du monde et surtout pour son cœur qui, hélas, reste si souvent l'esclave des passions et des égoïsmes?

Ce sont des questions que je laisse aux philosophes et aux théologiens. Je sens bien pourtant qu'il faut éviter deux excès, un pessimisme [...] qui verrait dans la civilisation matérielle l'œuvre du diable, et un optimisme béat qui nierait les véritables problèmes que ces progrès causent à l'homme.

Mais un simple chrétien qui réfléchit sur la situation actuelle du monde à la lumière de sa foi est saisi d'effroi en voyant que les hommes, en même temps qu'ils développent de plus en plus avec une sorte de frénésie le travail scientifique et surtout toutes ses applications techniques, négligent avec une sorte d'inconscience les activités contemplatives de l'intelligence. Plus ils étudient les moyens, plus ils oublient les fins.

Vous me croyez peut-être pessimiste. Non, ce n'est pas une attitude de chrétien, et je remercie Dieu de m'avoir gardé jusqu'à ce jour de cette tentation. Pour le chrétien, l'époque qu'il vit est toujours la meilleure, parce qu'elle est voulue par le bon plaisir de Dieu.

Mais laissez-moi vous dire les motifs de ma confiance. Ce sont *vous*, ce sont toutes les âmes contemplatives, ce sont tous les couvents contemplatifs, qui me défendent du pessimisme et maintiennent ma confiance.

Si on ne regarde que le développement matériel du monde, la raison réaliste ne peut pas ne pas être dans l'angoisse. Mais on reprend espoir si on considère le monde moderne, avec tout ce qu'il représente, et donc avec ce monde invisible, pour nous réconforter, si l'on considère en particulier cette prospérité des couvents cisterciens, notamment en Amérique... N'est-ce pas un signe, comme témoignage que Dieu n'abandonne pas notre univers, qu'Il s'occupe de nous?

Il y a toutes les âmes élues de Dieu qui, dans l'isolement du monde, vivent en solitaires leur vie contemplative. Mais il y a surtout ces couvents contemplatifs qui mènent socialement leur vie contemplative. Par leurs couvents, par leur genre de vie extérieure, par leur profession religieuse qui est un acte public, les religieux comme les autres hommes font partie de notre univers, et sont comme les centres d'équilibre du monde.

L'action dépend de la contemplation. La contemplation est le principe et la fin de l'action. C'est une loi métaphysique que Notre-Seigneur, dans son Évangile, a confirmée de façon éclatante. C'est une loi du gouvernement divin qui vaut donc en tous temps et en tous lieux. Quand il n'y aura plus de contemplatifs ici-bas, le monde disparaîtra. Il aura perdu aux yeux de Dieu sa véritable signification. L'action de l'homme, sans fin, sans principe, se détruira elle-même.

Mais ce principe peut se réaliser de façon très différente. En notre temps, l'action s'est développée démesurément sur l'horizontale, et en même temps elle s'est non seulement déspiritualisée, mais encore déhumanisée. Pour rétablir l'équilibre, Dieu semble intensifier la contemplation, Il multiplie les vocations contemplatives et Il semble les orienter vers une contemplation toujours plus pure, plus sainte, vers la contemplation dont l'Esprit Saint seul est le Maître.

Dans ce monde qui se spécialise de plus en plus, Dieu paraît vouloir lui-même sa spécialisation. Comprenez bien ce que je veux dire. Au haut Moyen Âge, les fils de saint Benoît remplissaient dans l'Église et même dans le monde toutes les fonctions, ils étaient des défricheurs de forêts, des apôtres, des catéchistes, en même temps que des contemplatifs. Dieu a suscité par la suite d'autres Ordres qui se sont spécialisés pour les fonctions apostoliques ou les fonctions de miséricorde. Tout dernièrement, l'Esprit Saint a même suscité l'Action catholique pour que les laïcs, dans les besognes plus profanes, deviennent les auxiliaires des prêtres. Plus le monde se spécialise, s'extériorise, s'alourdit en s'enrichissant, plus l'Esprit Saint veut des contemplatifs purs et légers par leur pauvreté, plus Il les veut cachés, plus Il leur demande une vie de sacrifice et d'anéantissement.

Bien que le monde manque d'institutions politiques adéquates, Dieu semble renforcer les institutions de contemplation, qui sont les organes cachés de notre univers, mais qui lui assurent sa structure profonde, qui donnent malgré ces fragilités de surface effrayantes une ossature puissante, qui peut, si Dieu le veut, lui maintenir sa stabilité. Tant que ces institutions de contemplation et de contemplation toute pure, toute cachée, toute prolongée par les sacrifices, comme sont vos citadelles cisterciennes, demeurent dans le monde, tous les renouveaux sont possibles. Le ressort intime est intact, il n'est pas brisé. Le monde a gardé un cœur solide, qui peut, si Dieu le veut, répandre à travers tout l'organisme un sang nouveau.

Permettez-moi d'ajouter une remarque qui vise spécialement vos abbayes cisterciennes. Chez vous les moyens techniques modernes ne trouvent-ils pas leur véritable finalité? On m'a raconté que durant cet été, dans certaines de vos abbayes, l'office avait pu garder une solennité spéciales, les heures d'étude et de prière avaient pu être maintenues plus longues, grâce aux moissonneuses-batteuses qui ont permis aux amis de Jésus de rester un peu plus longtemps sur Son Cœur, qui ont épargné un peu leurs forces et ont permis qu'il y ait un peu plus de prière et de contemplation sur cette pauvre terre. Il me semble que ces quelques prototypes ont dû attirer les grâces de Dieu sur toutes ces autres machines, fruits de la même civilisation, mais qui n'ont pas l'heureuse fortune d'être au service des serviteurs de Dieu.

Vous comprenez maintenant ce que nous attendons de vous. D'abord que vous restiez près de Dieu, que vous vous spécialisiez de plus en plus, si je puis dire, dans votre vie contemplative, que vous vous enfonciez de plus en plus dans le Cœur de Jésus pour que par vous, par votre oraison, par vos offices, Dieu soit toujours présent à notre monde, pour que vos cœurs soient de plus en plus des réceptacles de l'amour divin. C'est là cette première et unique mission.

Et en restant près de Dieu, vous attirez sur

nous Ses bénédictions. Vous qui, de jour et de nuit, êtes dans l'intimité de la Reine du Ciel, vous qui ne sortez jamais de l'enceinte de Son palais, puisque Marie est couronnée Reine de chacune de vos abbayes, demandez-Lui à tout instant, par votre seule présence, de donner à vos frères qui sont dans l'action la lumière et la force, au moment où ils en ont besoin, et où, dans le tourbillon de l'activité et des voyages, ou dans l'angoisse des problèmes immédiats, ils oublient de recourir à Dieu.

Ce qu'on ne fait pas soi-même dans le monde, on le peut par vous, nos frères, amis de Dieu. C'est ici que le dogme de la communion des saints est si consolant. Lorsque l'on est engagé dans l'action, comme je le suis, et qu'on sait que la moindre de ses paroles dites dans une réception officielle, sans beaucoup de réflexion parfois, ou dans un état de fatigue, peut influencer, même tant soit peu, l'orientation des hommes politiques dans un sens ou dans l'autre, il est doux de pouvoir s'appuyer sur le silence des contemplatifs. Il est si réconfortant de savoir que des religieux à qui Dieu nous a unis profondément sont peut-être alors dans le silence près de Jésus et de Marie, et qu'ils obtiennent pour nous ce don de conseil qui nous éclaire de façon si discrète et si forte à la fois.

C'est pourquoi, avant de vous quitter, je

veux vous redire que nous sommes venus ici, ma femme et moi, en mendiants, pour nous, pour les nôtres, et pour tous ceux qui, comme nous, sont engagés dans l'action. La seule grâce que je vous demande c'est de nous considérer comme des vôtres et de nous garder dans votre prière et dans votre contemplation.

* * *

Voici quelques extraits d'une conférence que mon père a donnée en France, en 1953, et une autre fois au Canada vers 1955, au sujet de l'homme politique.

* * *

Qu'est-ce que la politique? Ou plus exactement quelles sont, en principe, les qualités essentielles de l'homme politique, celles qui font de lui le grand homme politique en soi, pas seulement au regard de l'histoire, mais je dirais au regard de Dieu.

Est-ce que ce sont d'abord les *qualités intellectuelles*? La connaissance des sciences? La connaissance philosophique? La connaissance de l'histoire? Certes, une vaste culture intellectuelle, spécialement dans le domaine de l'histoire, est nécessaire. Mais les purs philosophes, et il faudrait dire aussi, je crois, les purs historiens, ne sont pas des bons hommes politiques. Il ne semble pas que la philosophie ou l'histoire doivent être les valeurs qui dominent en eux, c'est-à-dire qui donnent à leur intelligence, et par elle à leur vie, son orientation foncière, son attitude habituelle.

Est-ce que ce sont les *qualités techniques?* Les bonnes administrations sont une force. Mais une bonne administration peut servir pour l'injustice. Comme administration, au plan de la technique, tout est parfait quand les dossiers sont complets, rien ne manque, l'ordre règne partout. Mais un ordre administratif est un ordre partiel qui peut être au service d'un désordre plus profond, celui de l'injustice sociale par exemple, ou encore de la persécution religieuse.

Les techniques mettent entre les mains des chefs d'État des ressources remarquables, mais ce sont des instruments. Ces instruments seront-ils au service du bien ou du mal? Seront-ils utilisés pour la justice et la paix ou pour l'oppression et la guerre? Une administration n'est qu'un instrument. Elle réclame une *tête,* un *cœur,* une *volonté,* en un mot une personne consciente et libre avec les qualités morales de la personne humaine: la prudence et la justice avec toutes les vertus qui en assurent l'intégrité et l'équilibre. Telles sont les qualités essentielles, primordiales, du chef politique. Le chef politique peut se faire seconder par les savants et les techniciens pour les connaissances historiques ou théoriques, et pour l'utilisation des techniques. Mais pour qu'il recoure à eux avec impartialité, pour qu'il accepte leurs conseils, même s'ils s'opposent à ses idées reçues, à ses préjugés, à son tempérament, il faut qu'il soit humble, modeste, prudent, juste... Et à ce plan des qualités morales, personne ne peut le remplacer. Ce sont des qualités essentiellement personnelles.

Les techniques et les spécialités sont ainsi indispensables, mais elles doivent être les instruments animés par des vrais chefs qui, par leur esprit et leur cœur, sont tout ordonnés vers les grandes finalités de leurs pays, finalité d'ailleurs qui dépassent leur pays eux-mêmes, puisqu'elles appartiennent à l'ordre moral. Et ces finalités morales permettront donc une véritable collaboration — loyale et juste et non pas seulement des compromis sans sincérité et sans équité, entre les différents pays.

Ces qualités morales exigées par la politique garantissent seules la responsabilité du véritable chef.

Mais pouvons-nous arrêter là? La morale ne trouve sa stabilité et surtout son inspiration et sa force que dans la religion. Ceci est vrai au plan de la morale personnelle mais plus encore au plan de la morale politique. Celle-ci est plus difficile et plus complexe. Elle réclame une vue plus élevée, parce que son domaine est plus étendu. Une morale internationale coupée de ses fondements et de ses sources religieuses demeure bien vague et bien hésitante. Presque fatalement elle est sans dynamisme et sans force.

En tout cas, pour celui qui a la foi, sa morale trouve son fondement et son couronnement dans la religion.

Si la prudence et la justice politique réclament pour leur bon fonctionnement toutes les vertus morales, pour le chrétien elles réclament aussi et disons-le, avant tout, les vertus théologales. La politique, nous l'avons dit, se situe au-dessus de toutes les techniques, et elle doit en régler l'usage. Elle se place au rang de la morale. Mais la morale elle-même est subordonnée à la religion et à la foi. Si l'homme politique doit assurer le maintien et le développement de tout ce qui est exigé par le bien commun de son pays, il est indispensable qu'il ait le sens de la subordination de celui-ci au Bien commun séparé, à Dieu lui-même.

[...]

N'est-il pas urgent à notre époque que tous ceux qui croient dans le Christ et qui mettent leur attachement à leur foi au-dessus de toutes les autres valeurs s'unissent pour être capables de dépasser les limites non seulement de leurs égoïsmes, mais même celles de leurs pays, et pour pouvoir s'entraider et sauver ce qui reste dans le monde de la chrétienté?

Sans doute il est très délicat de parler d'une politique chrétienne — le mot prête à équivoque — mais il est absolument nécessaire que la politique des chrétiens s'inspire de leur foi. Il est indispensable, de nos jours, que les hommes politiques aient assez de magnanimité et de foi pour considérer nettement la valeur du bien commun de leur pays dans une perspective plus haute, en sa subordination même à l'universalisme de la foi chrétienne.

Nous ne devons jamais oublier que le but suprême de la société est de tâcher d'établir le plus d'amitié possible entre les hommes. Or, pour le chrétien, l'amitié parfaite s'appelle charité, et elle s'établit dans le Christ. Certes, le Bien commun de la cité ou de la nation constitue comme tel un bien ayant sa spécificité propre. L'amitié civique est une réalité humaine, distincte de la charité surnaturelle. Mais il semble bien que cette amitié ne peut subsister en dehors de la charité surnaturelle.

Étant donné la nature de la politique et ses exigences internes, l'homme politique ne doit-il pas être un homme de prière?

Nous l'avons dit assez, la gestion des choses

publiques, de notre temps surtout, est une affaire difficile. Les qualités morales qu'elle exige sont spécialement difficiles pour l'homme politique, qui ne peut vivre comme un moine, qui, par ses devoirs d'état, doit vivre en plein monde, dans ce que le monde a souvent de plus séduisant et de plus dangereux. Il a besoin de la prière pour fortifier sa foi et assurer son rayonnement sur toute sa vie, spécialement sur sa vie politique. Comment, par les seules ressources de sa raison et de sa volonté, garder ce sens des grandes finalités du pays? Comment surtout avoir assez de magnanimité et de courage pour s'élever au-dessus des propres intérêts de son pays, pour ne pas léser les justes droits des autres et surtout travailler au profit de la chrétienté?

Dans les circonstances actuelles la sagesse humaine laissée à ses seules ressources est incapable de trouver des solutions satisfaisantes et surtout de les réaliser. Le chrétien sait que, parmi les dons du Saint Esprit, le don de conseil est donné afin de suppléer, dans les cas particulièrement difficiles, aux déficiences de la prudence, de notre prudence personnelle et de notre prudence politique. L'Esprit Saint nous fait alors participer à la sagesse même de Dieu, qui nous éclaire et nous guide dans les décisions pratiques.

Si l'homme politique vit comme un ami de

Dieu, s'il a le souci de garder une véritable intimité avec Lui, s'il a par toute sa vie intérieure une sorte de familiarité avec Notre-Seigneur, il semble qu'il peut avoir le droit à ce que l'Esprit Saint l'aide avec tous ses dons pour qu'il demeure vraiment intègre, juste, prudent et sage dans le domaine politique. Ne l'oublions pas, l'Esprit Saint est le maître non seulement des réalités spirituelles, mais aussi des réalités matérielles [...]

Table des matières

JEAN VANIER

Jean Vanier est né le 10 septembre 1928. Fils de diplomate, il a accompagné sa famille dans ses déplacements et reçu son éducation première en Angleterre et au Canada. En 1942, il entra à l'École navale de Dartmouth en Angleterre. Il prit du service dans la Marine royale britannique en 1945. Il passa, en 1947, dans la marine canadienne et servit sur le *Magnificat*. Il démissionna en 1950, désirant poursuivre d'autres études.

Il vécut alors dans une communauté chrétienne d'étudiants dans la région parisienne et entreprit l'étude de la philosophie et de la théologie. Il reçut un doctorat de l'Institut catholique de Paris.

C'est en 1964 qu'il créa l'Arche d'une manière fort modeste à Trosly-Breuil, près de Compiègne dans le nord de la France. Il vécut avec deux personnes adultes handicapées mentales.

L'Arche a grandi et compte aujourd'hui plus de trois cent cinquante personnes, handicapées ou membres d'un personnel dont le dévouement et le don total sont évidents. Jean Vanier en est l'âme. Un témoin écrit de lui: «Nous étions devant un homme qui aimait passionnément les gens, et particulièrement les plus méprisés, un homme assoiffé de paix et d'unité. Il était clair qu'il tirait une grande partie de son inspiration de ceux avec qui il avait choisi de partager sa vie.» (Bill Clarke, *Un pari pour la joie: l'Arche de Jean Vanier*)

Son propre témoignage va dans le même sens: «Les handicapés, les marginaux, ceux qui sont écrasés et blessés m'ont plus appris sur l'Évangile que les sages et les prudents. Par leur croissance, leur acceptation, leur abandon, ils m'ont appris à accepter ma faiblesse et à ne pas prétendre être fort et capable. Les personnes handicapées m'ont montré que je suis moi-même handicapé, comme nous le sommes tous.» (*Ne crains pas*, Bellarmin)

Il y a maintenant une cinquantaine d'Arches dans le monde, qui toutes se réclament de Jean Vanier. On les trouve au Canada, aux États-Unis, en Belgique, au Danemark, en Norvège, en Écosse, en Irlande, en Inde, en Haïti, en Haute-Volta, en Côte-d'Ivoire. D'autres communautés sont en formation, particulièrement en Amérique du Sud.

Avec mère Térésa de Calcutta, une amie de longue date, Jean Vanier représente la charité véritable auprès des handicapés, celle du don total de la vie. Au monde entier il apporte le vrai message de Jésus: donner sa vie pour ceux qu'on aime.

Achevé d'imprimer
en juin 1992 sur les presses
des Ateliers Graphiques Marc Veilleux Inc.
Cap-Saint-Ignace, Qué.